英语版

跟我学汉语 第二版

练习册 1

LEARN CHINESE WITH ME

Workbook 1

人民教育出版社

PEOPLE'S EDUCATION PRESS

·北京·

图书在版编目（CIP）数据

跟我学汉语练习册：第2版：英语版. 第1册 / 陈绂
等编.—北京：人民教育出版社，2014.8
ISBN 978-7-107-28902-6

Ⅰ.①跟…　Ⅱ.①陈…　Ⅲ.①汉语–对外汉语
教学–习题集　Ⅳ.①H195.4

中国版本图书馆 CIP 数据核字 (2014) 第 223631 号

人民教育出版社 出版发行
网址： http：// www. pep. com. cn
大厂益利印刷有限公司印装　全国新华书店经销
2014年8月第1版　2014年11月第1次印刷
开本：890毫米×1 240毫米　1/16　印张：8.5　插页：16
字数：205千字　印数：0 001～3 000册
定价：70.00元
Printed in the People's Republic of China

总　策　划　　许　琳　　殷忠民　　韦志榕

总　监　制　　夏建辉　　郑旺全

监　　　制　　张彤辉　　顾　蕾　　刘根芹

　　　　　　　王世友　　赵晓非

编　　　者　　陈　绂　　王若江　　宋志明　　杨丽姣

　　　　　　　尹　洁　　朱志平　　徐彩华　　娄　毅

责任编辑　　张　君

审　　　稿　　王世友　　赵晓非

英文审稿　　何　洁

编写说明

　　本练习册与《跟我学汉语·学生用书》（第二版）相配套，主要供学生课后使用。通过做这些练习，学生可以进一步巩固在课堂上所学的内容，也可以对自己的学习效果做自我评估。同时，教师也可以有选择地使用练习册上的习题作为课堂教学的补充。

　　本练习册的编写主要有以下特点：

　　1．遵照任务型教学理念，突出交际训练。练习册中的习题力求符合实用性的原则，让学生在完成各种交际任务的练习中掌握并巩固学到的各种语言知识和交际技能。

　　2．习题与课堂教学紧密配合，教学中的每一个环节都可在练习册中找到相应的内容。

　　3．内容丰富，题型多样。习题内容覆盖语音、词汇、语法以及汉字等基本语言文字要素；习题种类包括拼音、词汇、句型、阅读、翻译、认读写汉字等，使学生在听、说、读、写、译五方面得到全面的训练。习题还提供了不同场合下的交际训练素材，使学生能够充分得到实际的训练。

　　4．重视汉语拼音的学习。除了在第一册中每课都设有汉语拼音的练习之外，即使在拼音基本知识学完后，仍然重复循环前面的知识，安排了一定数量的辨音、声调等练习，使学生在反复的练习中纯熟地掌握汉语拼音。

　　5．在词汇方面，练习册与课文相配套，每课都设有对新学词语的练习，重点放在对这些词语的掌握上。此外在练习中还加进了一些扩展词，教师可以根据实际情况对学生提出不同要求。

　　6．语言点的训练与交际功能的训练紧密结合在一起，我们力图在习题中提供适当的情景，让学生在真实的语境中掌握和巩固课堂上学到的汉语知识。

7．汉字练习强调先认读后练写。在了解汉字基本知识的基础上，重点练习汉字的结构、笔画、常用部件、笔顺等，循序渐进，逐步提高学生对汉字的感知和书写能力。

8．注重练习的科学性与趣味性。本练习册在注重汉语知识的完整性与系统性的同时，尽量使练习题型活泼有趣，增加学生学习汉语的兴趣。

在这次对练习册的修订中，我们充分吸收了使用者的意见和建议，有针对性地做了修改和补充，如删减了一些追求形式活泼而达不到练习目的的题型，同时对一些学习重点和难点（如句型语法等）进行了强化训练。

练习册中肯定还存在着不少问题，我们恳切地希望得到教师们的批评指正。

编者

2014年6月

CONTENTS

Unit One

1 你 好
 nǐ hǎo

1. Read aloud the following *Pinyin*.

(1)

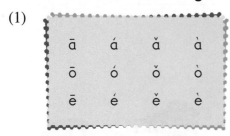

ā á ǎ à
ō ó ǒ ò
ē é ě è

(2)

ī í ǐ ì
ū ú ǔ ù
ǖ ǘ ǚ ǜ

2. Add tones to the following *Pinyin* according to the text.

ni   _____nǐ_____

lao   _____   shi   _____

hao   _____   jia   _____

ming _____   wang _____

tong _____   xue   _____

3. Match the word with its English meaning.

nǐ	teacher
hǎo	classmate
lǎoshi	you
tóngxué	good

4. Do you know what the following words and phrases mean?

nǐ hǎo   _____hello_____   tóngxuémen   _____

shàngkè   _____   xiàkè   _____

5. Complete the following dialogues.

(1)   (2)

A: _____.

B: Nǐ hǎo!

A: Lǎoshi hǎo!

B: _____!

2   我 是 王 家 明
wǒ shì wáng jiā míng

1. **Read aloud the following *Pinyin*.**

    (1)

    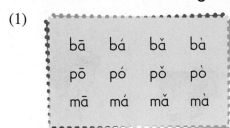

    bā   bá   bǎ   bà
    pō   pó   pǒ   pò
    mā   má   mǎ   mà

    (2)

    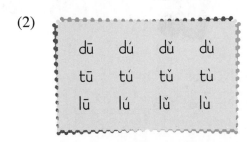

    dū   dú   dǔ   dù
    tū   tú   tǔ   tù
    lū   lú   lǔ   lù

2. **Add tones to the following *Pinyin* according to the text.**

    ta   _____tā_____

    jiao   _____   shi   _____

    jie   _____   ma   _____

    nimen   _____   women   _____

3. **Write *Pinyin* of the following words.**

    I   _____wǒ_____

    she   _____   he   _____

    be   _____   call   _____

    teacher _____   classmate _____

4. Write *Pinyin* for the plural form of the following words.

I   <u> wǒmen </u>   you   <u>   </u>

he <u>   </u>   classmate <u>   </u>

5. Complete the following dialogues.

(1)

A: Nǐ hǎo, wǒ _____ Wáng Jiāmíng.

B: Nǐ _____, wǒ jiào Jiékè.

(2)

A: Nǐ hǎo!

B: Nǐ hǎo! Wǒ _____ Lín Měiyún,

wǒ _____ lǎoshī.

(3)

A: Tā _____ Lín lǎoshī.

Tā _____ Wáng xiàozhǎng.

B: Nǐ hǎo!

C: _____!

谢 谢
xiè xie

1. **Read aloud the following *Pinyin*.**

(1)

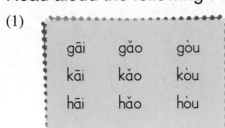

gāi	gǎo	gòu
kāi	kǎo	kòu
hāi	hǎo	hòu

(2)

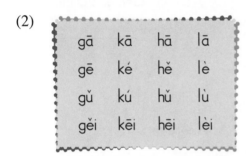

gā	kā	hā	lā
gē	ké	hě	lè
gǔ	kú	hǔ	lù
gěi	kēi	hēi	lèi

2. **Add tones to the following *Pinyin* according to the text.**

shen ___shén___

ke _____   jian _____

xie _____   zai _____

3. **Match the word with its English meaning.**

xièxie	what
bú kèqi	See you.
shénme	thank (you)
zàijiàn	You're welcome.
hǎo	good

4. Complete the following dialogues.

(1)

A: Nǐ hǎo!

B: _____!

A: Zàijiàn!

B: _____!

(2)

A: Tóngxuémen hǎo!

B: Lǎoshī _____!

A: Tóngxuémen zàijiàn!

B: Lǎoshī _____!

(3)

A: Xièxie nǐ!

B: _____!

A: Nǐ jiào_____?

B: Wǒ jiào Jiékè.

A: Zàijiàn!

B: _____!

5. Do you know what the following sentences mean?

Nǐ hǎo!　　　　　　_____

Lǎoshī hǎo!　　　　_____

Tóngxuémen hǎo!　 _____

Zàijiàn!　　　　　　_____

Lǎoshī zàijiàn!　　　_____

Nǐ jiào shénme míngzi?　_____

4　她们是学生吗

tā men shì xué shēng ma

1. **Read aloud the following *Pinyin*.**

   (1)

jiā	jié	jiǎo	jiū
qiā	qié	qiǎo	qiū
xiā	xié	xiǎo	xiū

   (2)

jìqi	húxū	jìlǜ
jìmù	qīfu	xìmǎ
jìxù	qǐlì	xíqi
jítǐ	qǔyì	xùjí

2. **Add tones to the following *Pinyin* according to the text.**

   ta _____tā_____

   zhang _____   xue _____

   xiao _____   sheng _____

   bu _____   men _____

3. **Match the word with its English meaning.**

tāmen	classmate
xiàozhǎng	teacher
xuéshēng	they
tóngxué	student
lǎoshī	be
shì	principal

4. Rearrange the following *Pinyin* to form sentences.

(1) shì   tā   ma   lǎoshī

_____

(2) tāmen   shì   xuéshēng   bú

_____

(3) tā   Wáng Jiāmíng   jiào   bú

_____

(4) tā   shì   ma   bú   xiàozhǎng

_____

5. Complete the following dialogues with the words in the box.

(1)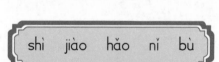

  bù shì hǎo nǐ ma

A: _____ _____

B: Nǐ hǎo!

A: Nǐ shì xuéshēng ma?

B: _____, wǒ shì xuéshēng. Nǐ shì

  xiàozhǎng _____?

A: Bù, wǒ _____ _____

  xiàozhǎng.

(2)

  shì jiào hǎo nǐ bù

A: Nǐ hǎo, Lín lǎoshī!

B: _____ _____, nǐ

  jiào shénme míngzi?

A: Wǒ _____ Linda. Tā

  _____ xiàozhǎng ma?

B: Shì, tā _____ xiàozhǎng.

A: Xièxie nǐ!

B: _____ kèqi!

6. Exercises for Chinese characters.

(1) Identify the "一" stroke in the following characters.

(2) Identify the " | " stroke in the following characters.

(3) Identify the " 丶 " stroke in the following characters.

(4) Identify the " 丿 " stroke in the following characters.

(5) Identify the " ㇏ " stroke in the following characters.

(6) Identify the "→" stroke in the following characters.

5 他们是我的朋友

tā men shì wǒ de péng you

1. **Read aloud the following *Pinyin*.**

(1)

zhān	chán	shǎn	rán
zhēn	chén	shěn	rén
zhuān	chuán	shuān	ruǎn
zhūn	chún	shùn	rùn

(2)

zhīyuán	chíhuǎn	shíhuàn	rìyuán
zhànlì	chǎndì	shānluán	ránér
zhěngqí	chénglì	shèngdì	réngrán
zhāngchéng	chángzhēng	shāngchǎng	rǎngrǎng

2. **Add tones to the following *Pinyin* according to the text.**

wo _____wǒ_____

xue _____   zhong _____

you _____   peng _____

shi _____   de _____

3. **Do you know what the following words mean?**

wǒmen _____we_____

zhōngxuéshēng _____   péngyou _____

xiàozhǎng _____   xièxie _____

tóngxué _____   zàijiàn _____

4. Write *Pinyin* of the following phrases.

my friend   <u>wǒ de péngyou</u>   our school   <u>   </u>

their teacher <u>   </u>   your classmate <u>   </u>

5. Choose the correct responses.

Example

A: Nǐ hǎo, Wáng Jiāmíng!

B: <u>Nǐ hǎo, Lín lǎoshī!</u>

◆ Nǐ hǎo, Lín lǎoshī!

◆ Xièxie, Lín lǎoshī!

(1) A: Nǐ hǎo, wǒ jiào Dàwèi.

B: _____

◆ Nǐ hǎo, wǒ shì Mary.

◆ Nǐ hǎo, wǒ jiào Mary.

(2) A: Lǎoshī, zàijiàn!

B: _____

◆ Bú kèqi!

◆ Zàijiàn!

(3) A: Tā shì zhōngxuéshēng ma?

B: _____

◆ Bù, tā shì zhōngxuéshēng.

◆ Shì, tā shì zhōngxuéshēng.

(4) A: Xièxie nǐ, lǎoshī!

B: _____

◆ Zàijiàn!

◆ Bú kèqi!

6. **Exercises for Chinese characters.**

(1) Identify the " 丿 " stroke in the following characters.

(2) Identify the " 亅 " stroke in the following characters.

(3) Identify the " ㇀ " stroke in the following characters.

(4) Can you write the basic strokes of Chinese characters?

héng 横 horizontal line _____ 一   shù 竖 vertical line _____

piě 撇 left-falling stroke _____   diǎn 点 dot _____

nà 捺 right-falling stroke _____   tí 提 rising stroke _____

héng zhé 横折 horizontal line and turn _____

Unit Two

Hanging out with Friends

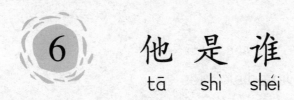

6 他 是 谁
tā shì shéi

1. **Read aloud the following *Pinyin*.**

   (1)

   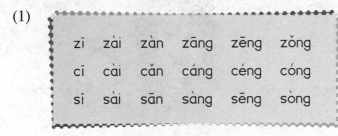

zī	zài	zàn	zāng	zēng	zǒng
cī	cài	cǎn	cáng	céng	cóng
sī	sài	sān	sàng	sēng	sòng

   (2)

jǐ	jiā	jiàn	jiāng	jiǒng
qí	qián	qǐng	quán	qióng
xī	xiā	xìn	xiǎng	xióng

2. **Match the *Pinyin* with the meaning.**

   (1)

dǎ	who
shéi	play
xuéxiào	badminton
yǔmáoqiú	school

(2)

yě	basketball
péngyou	coach
lánqiú	also
jiàoliàn	friend

3. Complete the following dialogues.

Example

Tā shì shéi?

Tā shì Lín lǎoshi.

(1)

Tā shì shéi?

_____

(2)

Tāmen zuò shénme?

_____

(3)

Tāmen dǎ pīngpāngqiú ma?

Shì, _____.

4. **Complete the following dialogues with the words in the box.**

(1)
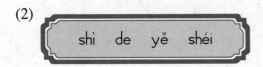

| shì | bù | ma | yě | dǎ |

A: Tā _____ shéi?

B: Tā _____ wǒ de péngyou Jiékè.

A: Tā dǎ lánqiú _____?

B: Shì, tā _____ lánqiú.

A: Nǐ _____ dǎ lánqiú ma?

B: Bù, wǒ _____ dǎ lánqiú.

(2)

| shì | de | yě | shéi |

A: Tā shì _____?

B: Tā shì Wáng Jiāmíng _____ péngyou Linda.

A: Tā _____ shì zhōngxuéshēng ma?

B: _____, tā yě _____ zhōngxuéshēng.

5. **Exercises for Chinese characters.**

(1) How many strokes does each of the following characters have?

dǎ   打   ___5___

shéi   谁   _____   yǔ   羽   _____

yě   也   _____   liàn   练   _____

(2) Write the first stroke of the following Chinese characters.

lín   林   ___一___   zài   再 _____

shì   是   _____   kè   克   _____

míng   名   _____   jiā   家 _____

7 谁是你的好朋友
shéi shì nǐ de hǎo péng you

1. **Read aloud the following _Pinyin_.**

   (1)

zā	zhā	jiā
cāo	chāo	qiāo
sēn	shēn	xīn
rǒng	zhǒng	chǒng

   (2)

zǎn	zhǎn	jiǎn
cuān	chuān	quān
sāng	shāng	xiāng
rì	shì	lì

2. **Do you know what the following words mean?**

   shénme   ___what___

   xué   _____   dōu   _____

   yǒu   _____   Hànyǔ   _____

3. **Choose the right words.**

   (1) ● shénme   ● shéi

   A: Tā shì _____?

   B: Tā shì wǒ de hǎo péngyou Jiékè.

(2) ● shénme   ● shéi

A: Dàwèi xué _____?

B: Tā xué Hànyǔ.

(3) ● yǒu   ● dōu

A: Mǎlì hé Àimǐlì _____ xué Fǎyǔ ma?

B: Shì de, tāmen dōu xué Fǎyǔ.

(4) ● yě   ● hé

A: Nǐ _____ Lín lǎoshī dōu dǎ yǔmáoqiú ma?

B: Shì de, wǒmen dōu dǎ yǔmáoqiú.

4. **Complete the following dialogue with the words in the box.**

> Fǎyǔ   yě   dōu   hǎo   shéi

A: Tāmen shì _____?

B: Tāmen shì wǒ de hǎo péngyou.

A: Nǐ xué Hànyǔ, tāmen _____

xué ma?

B: Bù, tāmen xué _____.

A: Mǎlì _____ shì nǐ de hǎo péngyou ma?

B: Shì de, tā yě shì wǒ de _____ péngyou.

A: Tā yě xué Hànyǔ ma?

B: Shì de, wǒmen _____ xué Hànyǔ.

5. **Exercises for Chinese characters.**

   (1) Write the second stroke of the following Chinese characters.

   mǐ   米 _____   shén   什 _____

   lì   丽 _____   zhǎng 长 _____

   tā   她 _____   yǒu   友 _____

(2) Write the characters by following the stroke order.

hàn	汉	汉	汉	汉	汉	汉					
mǐ	米	米	米	米	米	米	米				
yǒu	有	有	有	有	有	有	有				
dōu	都	都	都	都	都	都	都	都	都	都	都
ā	啊	啊	啊	啊	啊	啊	啊	啊	啊	啊	啊

8 你 有 几 张 中 文 光 盘

nǐ   yǒu   jǐ   zhāng zhōng wén guāng pán

1. **Read aloud the following *Pinyin*.**

(1)

hán	háng	zhǎn	zhǎng
sēn	sēng	chén	chéng
yǐn	yǐng	jìn	jìng
huán	huáng	shuān	shuāng

(2)

nián	niáng	liǎn	liǎng
wèn	wèng	zěn	zhěng
qún	qióng	hún	hóng

2. **Complete the following *Pinyin* according to the text.**

xièx _____ie_____

méiy _____u   Zh _____wén

H _____nyǔ   _____ǎyǔ

lánq _____ú   guāngp _____

z _____jiàn   _____énme

3. Write *Pinyin* of the following numbers.

1	2	3	4	5
yī				

6	7	8	9	10

4. Answer the following questions with the given words.

(1) A: Wáng Jiāmíng yǒu Zhōngwén guāngpán ma?

B: Yǒu, tā yǒu _____.(zhāng)

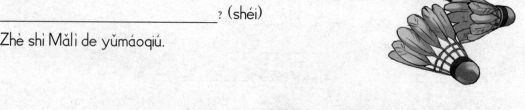

(2) A: _____?(jǐ)

B: Mǎlì yǒu sān zhāng diànyǐng piào.

(3) A: _____? (shéi)

B: Zhè shì Mǎlì de yǔmáoqiú.

(4) A: _____? (shéi)

B: Dàwèi shì wǒ de hǎo péngyou.

5. Complete the following dialogue with the words in the box.

zhāng	jǐ	ma	méiyǒu	yǒu

A: Jiāmíng, nǐ yǒu Zhōngwén guāngpán _____?

B: _____, wǒ yǒu Zhōngwén guāngpán.

A: Nǐ yǒu _____ zhāng Zhōngwén guāngpán?

B: Wǒ yǒu sān _____ Zhōngwén guāngpán.

A: Dàwèi yǒu Zhōngwén guāngpán ma?

B: _____, Dàwèi méiyǒu Zhōngwén guāngpán.

6. Exercises for Chinese characters.

(1) How many strokes does each of the following characters have?

méi   没   <u> 7 </u>

guāng   光   _____   wén   文   _____

lán   篮   _____   qiú   球   _____

dǎ   打   _____   zhāng   张   _____

(2) Can you separate these characters?

pán 盘

舟	皿

jié 杰

bà 爸

jiā 家

xiè 谢

méi 没

9 祝 你 生 日 快 乐

zhù nǐ shēng rì kuài lè

1. **Read aloud the following *Pinyin*.**

(1)

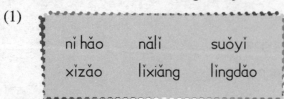

nǐ hǎo	nǎlǐ	suǒyǐ
xǐzǎo	lǐxiǎng	lǐngdǎo

(2)

yì gēn	yì tiān	yìxiē
yì tiáo	yì nián	yì mén
yì bǎ	yì diǎn	yì shǒu
yí biàn	yí yuè	yídìng

(3)

bù chī	bù gāo	bù xiāng
bù wán	bù dú	bù tián
bù pǎo	bù ǎi	bù xiǎng
bú là	bú pàng	bú xiàng

2. **Add tones to the following words.**

Hanyu _____Hànyǔ_____

zheli _____   nin hao _____

kuaile _____   shengri _____

duoshao _____   guangpan _____

3. Decide whether the following tone sandhi of "不" are correct.

bú hǎo _____F_____

bú duì _____   bú gāo _____

bùxíng _____   bù zuò _____

bù huì _____   bù néng _____

bù kèqi _____   bù lǐmào _____

4. Match the word with its English meaning.

(1)

zhǎo   birthday
zhèlǐ   happy
shēngrì   find
kuàilè   here

(2)

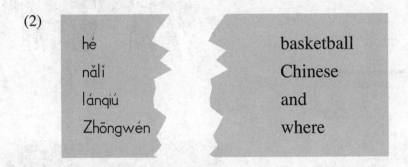

hé   basketball
nǎlǐ   Chinese
lánqiú   and
Zhōngwén   where

5. Answer the following questions about yourself.

Example

Nǐ zhǎo shéi?

Wǒ zhǎo wǒ de péngyou.

(1) Nǐ de péngyou zhǎo shéi?

_____

(2) Nǐ de péngyou zài zhèlǐ ma?

_____

(3) Nǐ zài nǎlǐ?

_____

(4) Nǐ de Hànyǔ lǎoshī zài nǎlǐ?

_____

6. Complete the following dialogues with the words in the box.

(1)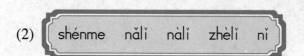

| nǐ | ma | zài | zhǎo | nín |

A: Lín lǎoshī, _____ hǎo!

B: _____ hǎo, nǐ zhǎo wǒ ma?

A: Bù, wǒ _____ wǒ de péngyou
   Jiāmíng. Tā zài zhèlǐ _____?

B: Bù, tā bú _____ zhèlǐ.

(2)

| shénme | nǎlǐ | nàlǐ | zhèlǐ | nǐ |

A: _____ hǎo!

B: Nǐ hǎo! Nǐ zhǎo _____?

A: Wǒ zhǎo wǒ de Zhōngwén guāngpán,
   tāmen zài _____ ma?

B: Shì de.

A: Tāmen zài _____?

B: Tāmen zài _____.

7. Exercises for Chinese characters.

(1) Write the characters by following the stroke order.

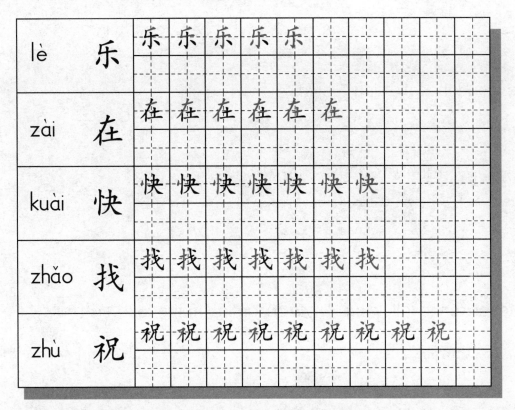

lè	乐	乐 乐 乐 乐 乐
zài	在	在 在 在 在 在 在
kuài	快	快 快 快 快 快 快 快
zhǎo	找	找 找 找 找 找 找 找
zhù	祝	祝 祝 祝 祝 祝 祝 祝 祝 祝

(2) Draw a line to link the characters with the same structure.

你 　 气

大 　 字

家 　 好

10 今天我很高兴
jīn tiān wǒ hěn gāo xìng

1. Read aloud the following *Pinyin*.

dāozi	bāzhang	dōngxi	dēnglong
bízi	chúle	cháihuo	cáifeng
běnzi	chǎngzi	dǎban	dǎliang
ànzi	bàba	gàosu	gùshi

2. Add tones to the following *Pinyin* according to the text.

shengri _____shēngrì_____

yinyue _____   yiqi _____

jintian _____   dangao _____

gaoxing _____   kuaile _____

3. Decide whether the following tone sandhi of "一" are correct.

yíqǐ _____F_____

yí liàng _____   yí gè _____

yí bǎ _____   yì qún _____

yìshēng _____   yí píng _____

yí wǎn _____   yì zhǒng _____

4. Write *Pinyin* of the following words.

listen _____tīng_____

very _____   music _____

happy _____   today _____

cake _____   eat _____

5. Fill in the blanks with *Pinyin*.

_____xué_____ Hànyǔ

_____ guāngpán   _____ yīnyuè

_____ dàngāo   _____ yǔmáoqiú

6. Choose the correct responses.

Example

A: Tā shì shéi?

B: Tā shì Mǎlì.

◆ Tā shì Mǎlì.

◆ Tā shì xuéshēng.

(1) A: Nǐ yǒu hǎo péngyou ma?

B: _____

◆ Yǒu, wǒ yǒu hǎo péngyou.

◆ Shì, wǒmen shì hǎo péngyou.

(2) A: Shéi shì nǐ de hǎo péngyou?

B: _____

◆ Jiékè bú shì wǒ de hǎo péngyou.

◆ Jiékè shì wǒ de hǎo péngyou.

(3) A: Nǐ yǒu jǐ zhāng Zhōngwén guāngpán?

B: _____

◆ Wǒ yǒu sān zhāng Zhōngwén guāngpán.

◆ Shì de, wǒ yǒu jǐ zhāng Zhōngwén guāngpán.

(4) A: Zhè shì shéi de lánqiú?

B: _____

◆ Nà shì wǒ de lánqiú.

◆ Zhè shì wǒ de lánqiú.

(5) A: Tāmen zài nǎlǐ?

B: _____

◆ Tāmen bú zài zhèlǐ.

◆ Tāmen zài nàlǐ.

7. Exercises for Chinese characters.

(1) How many strokes does each of the following characters have?

kuài	快	___7___			
tīng	听	_____	chī	吃	_____
yīn	音	_____	gāo	糕	_____
qǐ	起	_____	shī	师	_____

(2) Write the characters by following the stroke order.

tiān	天	天	天	天	天					
jīn	今	今	今	今	今					
chī	吃	吃	吃	吃	吃	吃	吃			
xìng	兴	兴	兴	兴	兴	兴				
tīng	听	听	听	听	听	听	听			
hěn	很	很	很	很	很	很	很	很	很	

Unit Three

My Family and I

11   你 多 大

nǐ duō dà

1. Match the characters in the box with *Pinyin*.

mèi _____妹_____   xué _____

ne _____   duō _____

méi _____   qiú _____

chē _____   nǐ _____

妹 多 车 没
呢 球 学 你

2. Write *Pinyin* of the following words.

这里 _____zhèlǐ_____

妹妹 _____   多大 _____

没有 _____   几岁 _____

小学生 _____   生日 _____

3. Match the word with its English meaning.

(1)

guāngpán 光盘   music

mèimei 妹妹   happy

yīnyuè 音乐   younger sisiter

gāoxìng 高兴   CD

29

(2)

suì	岁	together
zhǎo	找	elementary school student
yìqǐ	一起	find
xiǎoxuéshēng	小学生	year (of age)

4. Complete the following dialogues.

Example

A: 你 <u>有 没 有</u> 妹 妹?
　　nǐ　yǒu　méi　yǒu　mèi　mei

B: 我 没 有 妹 妹。
　　wǒ　méi　yǒu　mèi　mei

(1) A: 教 练 ＿＿＿＿＿＿ 羽 毛 球?
　　　jiāo　liàn　　　　　　yǔ　máo　qiú

B: 教 练 有 羽 毛 球。
　　jiāo　liàn　yǒu　yǔ　máo　qiú

(2) A: 今 天 你 ＿＿＿＿＿＿ 蛋 糕?
　　　jīn　tiān　nǐ　　　　　　dàn　gāo

B: 今 天 我 不 吃 蛋 糕。
　　jīn　tiān　wǒ　bù　chī　dàn　gāo

(3) A: 艾 米 丽 今 天 ＿＿＿＿＿＿ 汉 语?
　　　ài　mǐ　lì　jīn　tiān　　　　　hàn　yǔ

B: 她 今 天 不 学 汉 语。
　　tā　jīn　tiān　bù　xué　hàn　yǔ

5. **Answer the questions according to the pictures.**

Example

(1)

大卫多大？
dà wèi duō dà

大卫十七岁。
dà wèi shí qī suì

王家明多大？
wáng jiā míng duō dà

_____

(2)

(3)

王家明的朋友玛丽多大？
wáng jiā míng de péng you mǎ lì duō dà

_____

林老师多大？
lín lǎo shī duō dà

_____

6. **Activities.**

Introduce your best friend
to your partner, including
the name, age and which
school he or she goes to.

7. Exercises for Chinese characters.

(1) Identify the components of each of the following Chinese characters.

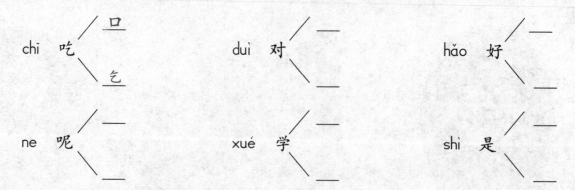

chī 吃 ╱ 口
       ╲ 乞

duì 对 ╱ ___
       ╲ ___

hǎo 好 ╱ ___
       ╲ ___

ne 呢 ╱ ___
      ╲ ___

xué 学 ╱ ___
       ╲ ___

shì 是 ╱ ___
       ╲ ___

(2) Form Chinese characters by using the following given components.

口 + 斤 → (ting 听)

山 + 夕 → (   )   又 + 寸 → (   )   木 + 交 → (   )

亻 + 尔 → (   )   女 + 子 → (   )   亻 + 也 → (   )

(3) Read the following *Pinyin* and write the corresponding Chinese characters.

péng ___朋___   gāo _____

nín _____   qǐ _____

dàn _____   suì _____

mèi _____   xiǎo _____

12　你从哪里来

nǐ cóng nǎ lǐ lái

1. Do you know what the following words mean?

jīntiān　今天　_____today_____

cóng　从　_____　　xìng　姓　_____

lái　来　_____　　jiā　家　_____

wán　玩　_____　　hěn　很　_____

huānyíng　欢迎　_____　　piàoliang　漂亮　_____

2. Form words with the characters in the box and add *Pinyin*.

欢	哪	教	同
老	法	里	朋
谢	迎	练	谢
学	友	语	师

(1) 谢谢 xièxie　　　　　(2) _____

(3) _____　　　(4) _____

(5) _____　　　(6) _____

(7) _____　　　(8) _____

3. Write *Pinyin* of the following words.

哪里　___nǎlǐ___

高兴　_____　　　打球　_____

汉语　_____　　　法语　_____

生日　_____　　　快乐　_____

再见　_____　　　客气　_____

4. Complete the following dialogues.

Example

艾 米 丽 从 哪 里 来?
ài mǐ lì cóng nǎ lǐ lái

艾 米 丽 从 美 国 来。
ài mǐ lì cóng měi guó lái

(1)

小 美 从 哪 里 来?
xiǎo měi cóng nǎ lǐ lái

小 美 从 ＿＿＿ 来。
xiǎo měi cóng lái

(2)

欢 迎 你 来 ＿＿＿。
huān yíng nǐ lái

(3)

欢 迎 你 来 _____ 。
huān yíng nǐ lái

5. Complete the following dialogues with the words in the box.

玩	从	叫	姓	来	呢
wán	cóng	jiào	xìng	lái	ne

A: 你 好！ 你 _____ 什么？
　　nǐ hǎo 　 nǐ 　　　　　shén me

B: 我 姓 王。
　　wǒ xìng wáng

A: 你 _____ 什么 名字？
　　nǐ 　　　　shén me míng zi

B: 我 叫 王 家 明。
　　wǒ jiào wáng jiā míng

A: 你 _____ 哪里来？
　　nǐ 　　　　 nǎ lǐ lái

B: 我 从 中 国 _____。 你 _____？
　　wǒ cóng zhōng guó 　　　　 nǐ

A: 我 _____ 美国 _____。 欢 迎 你 来 我 家 _____。
　　wǒ 　　　　 měi guó 　　　　 huān yíng nǐ lái wǒ jiā

B: 谢 谢！
　　xiè xie

6. Activities.

List some English and Chinese names, and discuss the difference between them with a partner.

7. Exercise for Chinese characters.

(1) Find out the identical components, and use them to form a character.

人　月　夕　人　木　夕　月　木

Example　人＋人＝从

a. _____

b. _____

c. _____

(2) Write the characters by following the stroke order.

cóng	从	从 从 从 从						
huān	欢	欢 欢 欢 欢 欢 欢						
lái	来	来 来 来 来 来 来 来						
yíng	迎	迎 迎 迎 迎 迎 迎 迎						
guó	国	国 国 国 国 国 国 国 国						

13　我住在柏树街

wǒ zhù zài bǎi shù jiē

1. Write *Pinyin* and meanings of the following words.

生日	<u>shēng rì</u>	<u>birthday</u>	马上	_____	_____
住	_____	_____	请问	_____	_____
要	_____	_____	商店	_____	_____
到	_____	_____	比萨饼	_____	_____

2. Fill in the blanks with the words in the box.

找　　住　　要　　问　　有　　到
zhǎo　zhù　yào　wèn　yǒu　dào

(1) 王　家　明　_____　一　份　比　萨　饼。
　　wáng jiā míng　　　　　 yí fèn bǐ sà bǐng

(2) 林　老　师　_____　在　柏　树　街　吗?
　　lín lǎo shi　　　　　 zài bǎi shù jiē ma

(3) 你　好，我　马　上　_____　你　家。
　　nǐ hǎo wǒ mǎ shàng　　　　 nǐ jiā

(4) 请　_____，你　是　大　卫　的　朋　友　吗?
　　qǐng　　　　 nǐ shi dà wèi de péng you ma

(5) 你　_____　几　张　中　文　光　盘?
　　nǐ　　　　 jǐ zhāng zhōng wén guāng pán

(6) 我　_____　我　的　中　文　老　师。
　　wǒ　　　　 wǒ de zhōng wén lǎo shi

3. Rearrange the following words to form sentences.

(1) 王　家　明　　什　么　　要
　　wáng jiā míng　 shēn me　 yào

_____

(2)　我　　　蛋　糕　　要　　　不
　　　wǒ　　dàn gāo　　yào　　　bù

_____

(3)　柏　树　街　　　住　　　不　　　林　老　师　　　在
　　　bǎi shù jiē　　zhù　　　bù　　　lín lǎo shī　　　zài

_____

(4)　住　　　哪　里　　　你　　　在
　　　zhù　　nǎ lǐ　　　nǐ　　　zài

_____

4. Answer the following questions according to the pictures.

(1) A: 你　要　什　么?
　　　 nǐ　yào shén me

　　B: _____

(2) A: 大　卫　要　什　么?
　　　 dà　wèi yào shén me

　　B: _____

(3) A: 林　老　师　住　在　哪　里?
　　　 lín lǎo shī zhù zài nǎ lǐ

　　B: _____

(4) A: 王　家　明　住　在　哪　里?
　　　 wáng jiā míng zhù zài nǎ lǐ

　　B: _____

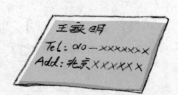

38

5. Complete the following dialogues with the words in the box.

(1)

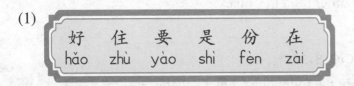

好	住	要	是	份	在
hǎo	zhù	yào	shì	fèn	zài

A: 喂，_____ 比 萨 饼 店 吗？
wèi _____ bǐ sà bǐng diàn ma

B: 是 的，请 问，您 _____ 什 么？
shì de qǐng wèn nín _____ shén me

A: 我 要 两 _____ 比 萨 饼。
wǒ yào liǎng _____ bǐ sà bǐng

B: 您 住 _____ 哪 里？
nín zhù _____ nǎ lǐ

A: 我 _____ 在 17 街 51 号。
wǒ _____ zài shí qī jiē wǔ shí yī hào

B: _____，马 上 到。
_____ mǎ shàng dào

(2)

哪 里	不	找	在
nǎ lǐ	bù	zhǎo	zài

A: 喂，您 好！
wèi nín hǎo

B: 你 好！你 _____ 谁？
nǐ hǎo nǐ _____ shéi

A: 我 找 王 家 明，他 _____ 家 吗？
wǒ zhǎo wáng jiā míng tā _____ jiā ma

B: 对 不 起，他 _____ 在 家。
duì bu qǐ tā _____ zài jiā

A: 他 在 _____？
tā zài _____

B: 他 在 学 校。
tā zài xué xiào

6. Activities.

Go to a Chinese restaurant and try to order food in Chinese.

7. Exercises for Chinese characters.

(1) Identify the components of each of the following Chinese characters.

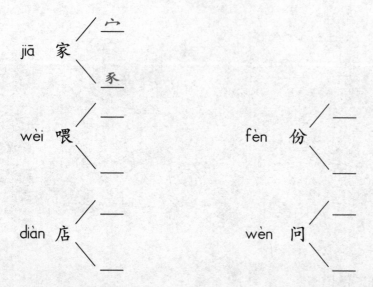

(2) Form Chinese characters by using the following given components.

又 + 欠 → (huān 欢)

亻 + 主 → (　　)　　西 + 女 → (　　)　　讠 + 青 → (　　　)

至 + 刂 → (　　)　　饣 + 并 → (　　)　　木 + 又 + 寸 → (　　　)

(3) Delete a stroke of the following Chinese characters to form another one.

例：fán 凡 → jǐ 几

èr 二 → (　　　)　　　　tiān 天 → (　　　)

zǐ 子 → (　　　)　　　　rì 日 → (　　　)

tài 太 → (　　　)　　　　zhǐ 止 → (　　　)

14 你家有几口人
nǐ jiā yǒu jǐ kǒu rén

1. Add *Pinyin* to the following words.

马上 _____ mǎshàng _____

猫 _____   人 _____

住 _____   狗 _____

妹妹 _____   哥哥 _____

妈妈 _____   爸爸 _____

2. Write Chinese characters and *Pinyin* of the following words.

father ___ 爸爸 ___   ___ bàba ___

mother _____   big _____

cat _____   small _____ _____

dog _____   pretty _____ _____

3. Choose the appropriate measure words.

(1) 我 家 有 一 （ 口 只 ） 小 猫。
wǒ jiā yǒu yì （kǒu zhǐ） xiǎo māo

(2) 大 卫 有 三 （ 张 份 ） 光 盘。
dà wèi yǒu sān （zhāng fèn） guāng pán

(3) 王 校 长 家 有 四 （ 只 口 ） 人。
wáng xiào zhǎng jiā yǒu sì （zhǐ kǒu） rén

(4) 我 的 朋 友 家 有 （ 二 两 ） 只 大 狗。
wǒ de péng you jiā yǒu （èr liǎng） zhǐ dà gǒu

4. Complete the following sentences with "还".

Example

我 要 一 份 比 萨 饼，
wǒ yào yí fèn bǐ sà bǐng

<u>还要一份蛋糕</u>。
hái yào yí fèn dàn gāo

(1)

他 们 家 有 三 口 人，
tā men jiā yǒu sān kǒu rén

_____。

(2)

大 卫 学 中 文，
dà wèi xué zhōng wén

_____。

(3)

他 们 打 篮 球，
tā men dǎ lán qiú

_____。

5. Complete the following dialogues with the words in the box.

只　还　有　几　谁　吗
zhī　hái　yǒu　jǐ　shéi　ma

A: 你 家 有 _____ 口 人?
nǐ　jiā　yǒu　　　　kǒu rén

B: 我 家 _____ 五 口 人。
wǒ jiā　　　　wǔ kǒu rén

A: 他 们 是 _____?
tā men shì

B: 爸 爸、妈 妈、哥 哥、姐 姐，_____ 有 我。
bà ba　mā ma　gē ge　jiě jie　　　　　yǒu wǒ

A: 你 家 有 狗 _____?
nǐ　jiā yǒu gǒu

B: _____，我 家 有 一 _____ 大 狗，_____ 有 一 只 小 猫。
wǒ jiā yǒu yì　　　　dà gǒu　　　yǒu yì zhī xiǎo māo

6. Activities.

Make your own family tree in Chinese.

43

7. Exercises for Chinese characters.

(1) Add a component to the following Chinese characters to form new character.

xiào　孝 → (教)　　　　jiāo　交 → (　　)

mǎ　马 → (　　)　　　　mén　门 → (　　)

zhǎng　长 → (　　)　　　　hé　禾 → (　　)

bái　白 → (　　)　　　　jù　句 → (　　)

(2) Write the characters by following the stroke order.

wǔ 五	五	五	五	五						
piào 漂	漂	漂	漂	漂	漂	漂	漂	漂	漂	漂
	漂	漂	漂	漂						
māo 猫	猫	猫	猫	猫	猫	猫	猫	猫	猫	猫
	猫									
liàng 亮	亮	亮	亮	亮	亮	亮	亮	亮	亮	

15　我 爸 爸 是 医 生
　　　　wǒ bà ba shì yī shēng

1. Add *Pinyin* to the following words.

爷爷　_____yéye_____

医生　_____　　可是　_____

妹妹　_____　　喜欢　_____

邻居　_____　　只　　_____

漂亮　_____　　哥哥　_____

2. Do you know what the following words mean?

dìdi　　弟弟　<u>younger brother</u>

yéye　　爷爷　_____　　　nǎinai　奶奶　_____

mèimei　妹妹　_____　　　línjū　　邻居　_____

xǐhuan　喜欢　_____　　　kěshì　可是　_____

3. Introduce the occupations with "是".

Example

他 是 学 生 。
tā shì xué shēng

(1)

(2)

(3)

4. Complete the following sentences with "可是".

(1) 艾 米 丽 学 法 语，_____。
   ài mǐ lì xué fǎ yǔ

(2) 我 喜 欢 打 篮 球，_____。
   wǒ xǐ huan dǎ lán qiú

(3) 王 校 长 要 一 份 比 萨 饼，_____。
   wáng xiào zhǎng yào yí fèn bǐ sà bǐng

(4) 我 的 爸 爸 喜 欢 狗，_____。
   wǒ de bà ba xǐ huan gǒu

(5) 他 的 朋 友 住 在 北 京，_____。
   tā de péng you zhù zài běi jīng

5. Read the passage and then answer the questions.

王 小 可 家 有 四 口 人， 爸 爸、 妈 妈、 妹
wáng xiǎo kě jiā yǒu sì kǒu rén bà ba mā ma mèi

妹 和 她。 他 们 住 在 中 国 北 京。 王 小 可 的
mei hé tā tā men zhù zài zhōng guó běi jīng wáng xiǎo kě de

爸 爸 是 医 生， 妈 妈 是 老 师。 王 小 可 的 爷
bà ba shì yī shēng mā ma shì lǎo shī wáng xiǎo kě de yé

爷 和 奶 奶 不 住 在 北 京， 他 们 住 在 上 海。
ye hé nǎi nai bú zhù zài běi jīng tā men zhù zài shàng hǎi

王 小 可 家 还 有 一 只 小 狗， 叫 小 黄， 王 小
wáng xiǎo kě jiā hái yǒu yì zhī xiǎo gǒu jiào xiǎo huáng wáng xiǎo

可 很 喜 欢 小 黄， 可 是 她 的 妹 妹 不 喜 欢 它。
kě hěn xǐ huan xiǎo huáng kě shì tā de mèi mei bù xǐ huan tā

(1) 王 小 可 家 有 几 口 人? 他 们 是 谁?
wáng xiǎo kě jiā yǒu jǐ kǒu rén tā men shì shéi

_____

(2) 王 小 可 住 在 哪 里?
wáng xiǎo kě zhù zài nǎ lǐ

_____

(3) 王 小 可 的 妈 妈 是 医 生 吗?
wáng xiǎo kě de mā ma shì yī shēng ma

_____

(4) 王 小 可 的 爷 爷 也 住 在 北 京 吗?
wáng xiǎo kě de yé ye yě zhù zài běi jīng ma

_____

(5) 小 黄 是 谁?
xiǎo huáng shì shéi

_____

(6) 王 小 可 的 妹 妹 不 喜 欢 谁?
wáng xiǎo kě de mèi mei bù xǐ huan shéi

_____

6. **Activities.**

Interview your partner about his or her family members and their occupations.

7. Exercises for Chinese characters.

(1) Identify the components of each of the following Chinese characters.

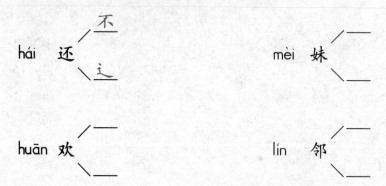

hái 还   / 不
       \ 辶

mèi 妹   / —
       \ —

huān 欢 / —
       \ —

lín 邻   / —
       \ —

(2) Form Chinese characters by using the following given components.

犭＋苗→（māo 猫）

父＋巴→（   ） 父＋卩→（   ） 女＋乃→（   ）

女＋马→（   ） 立＋日→（   ） 匚＋矢→（   ）

(3) Write the characters by following the stroke order.

kě 可	可	可	可	可	可							
nǎi 奶	奶	奶	奶	奶	奶							
dì 弟	弟	弟	弟	弟	弟	弟	弟					
xǐ 喜	喜	喜	喜	喜	喜	喜	喜	喜	喜	喜	喜	喜

Unit Four

Times, Dates and Seasons

16 现 在 几 点
xiàn zài jǐ diǎn

1. Add *Pinyin* to the following words.

现在 ___xiànzài___

有事 _____ 医生 _____

起床 _____ 跟 _____

哪里 _____ 高兴 _____

2. Match the Chinese in the box with English.

> 哪里　医生　去
> 起床　六点　现在
> 生日　半

six o'clock ___六点___　　birthday _____

now _____　　where _____

go _____　　half _____

doctor _____　　get up _____

3. Complete the following dialogues according to the pictures.

Example

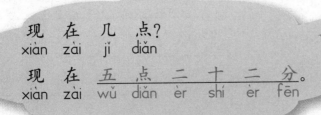

现　在　几　点？
xiàn zài jǐ diǎn

现　在　五　点　二　十　二　分。
xiàn zài wǔ diǎn èr shí èr fēn

49

(1)

现　在　几　点？
xiàn zài jǐ diǎn

现　在 ＿＿＿＿＿＿＿＿＿＿。
xiàn zài

(2)

现　在　几　点？
xiàn zài jǐ diǎn

现　在 ＿＿＿＿＿＿＿＿＿＿。
xiàn zài

(3)

现　在　是　十　点　半　吗？
xiàn zài shi shí diǎn bàn ma

是，现　在　是 ＿＿＿＿＿。
shì xiàn zài shì

4. Make sentences with the words in the box.

(1)

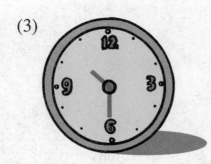

打　　　　篮　球
dǎ　　　lán qiú
吃　　　　蛋　糕
chī　　 dàn gāo
听　　　　音　乐
tīng　　 yīn yuè
去　　　　学　校
qù　　　 xuéxiào

我　们　一　起　打　篮　球　吧！
wǒ men yì qǐ dǎ lán qiú ba

＿＿＿＿＿＿＿＿＿＿＿＿＿＿

＿＿＿＿＿＿＿＿＿＿＿＿＿＿

(2)

王 家 明　　　起 床
wáng jiā míng　　qǐ chuáng
林 老 师　　　上 课
lín lǎo shī　　shàng kè
玛 丽　　　有 事
mǎ lì　　yǒu shì
杰 克　　　学 汉 语
jié kè　　xué hàn yǔ

Example

王家明七点半 起床。
wáng jiā míng qī diǎn bàn　qǐ chuáng

_____

_____

5. Rearrange the following words to form sentences.

Example

点　　现 在　　几
diǎn　xiàn zài　jǐ

现 在 几 点?
xiàn zài jǐ diǎn

(1) 今 天　　吗　　你　　有　　事
　　jīn tiān　ma　nǐ　yǒu　shì

_____

(2) 我　他　羽 毛 球　打　跟　一 起　今 天
　　wǒ　tā　yǔ máo qiú　dǎ　gēn　yì qǐ　jīn tiān

_____

(3) 玛 丽　去　一 起　学 校　杰 克　跟
　　mǎ lì　qù　yì qǐ　xué xiào　jié kè　gēn

_____

6. Complete the following dialogues with the words in the box.

(1)

吧	点	事	半	几	去
ba	diǎn	shì	bàn	jǐ	qù

A: 现 在 _____ 点？
xiàn zài   diǎn

B: 现 在 九 点 _____。你 有 _____ 吗？
xiàn zài jiǔ diǎn   nǐ yǒu   ma

A: 我 _____ 朋 友 家。
wǒ   péng you jiā

B: 几 点 去？
jǐ diǎn qù

A: 我 十 _____ 半 去。
wǒ shí   bàn qù

B: 起 床 _____！
qǐ chuáng

(2)

去	有	现在	谢谢	点
qù	yǒu	xiàn zài	xiè xie	diǎn

A: 请 问，_____ 几 点？
qǐng wèn   jǐ diǎn

B: 现 在 十 _____ 十 五 分。
xiàn zài shí   shí wǔ fēn

A: _____ 您！
nín

B: 不 客 气！你 _____ 事 吗？
bú kè qi nǐ   shì ma

A: 我 十 一 点 _____ 学 校。
wǒ shí yi diǎn   xué xiào

7. Activities.

It's 8 o'clock AM in Beijing. What's the time now in London, Paris and New York?

8. Exercises for Chinese characters.

(1) Read *Pinyin*, and write the corresponding Chinese characters.

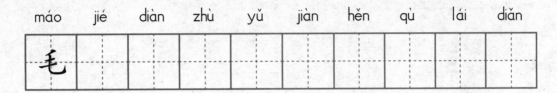

máo	jié	diàn	zhù	yǔ	jiàn	hěn	qù	lái	diǎn
毛									

(2) Write the characters by following the stroke order.

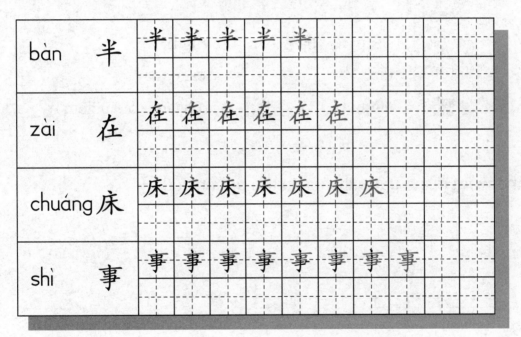

bàn	半	半 半 半 半 半
zài	在	在 在 在 在 在 在
chuáng	床	床 床 床 床 床 床 床
shì	事	事 事 事 事 事 事 事 事

17 你每天几点起床
nǐ měi tiān jǐ diǎn qǐ chuáng

1. Add *Pinyin* to the following words.

时候 ___shíhou___

早上 _____ 晚上 _____

他们 _____ 睡觉 _____

现在 _____ 每天 _____

2. Match the Chinese in the box with English.

早上	晚上
睡觉	时候
刻（钟）	每天

sleep ___睡觉___ night _____

time _____ every day _____

morning _____ a quarter of an hour _____

3. Fill the word in the parentheses in the right place.

(1) 林老师__A__八点半__B__去学校__C__。（每天）_____
   lín lǎo shī   bā diǎn bàn   qù xué xiào   （měi tiān）

(2) 我__A__每天__B__十一点__C__睡觉。（晚上）_____
   wǒ   měi tiān   shí yi diǎn   shuì jiào   （wǎn shang）

(3) 你__A__什么时候__B__起床__C__？（早上）_____
   nǐ   shén me shí hou   qǐ chuáng   （zǎo shang）

(4) __A__晚上__B__爸爸__C__几点有事？（今天）_____
   wǎn shang   bà ba   jǐ diǎn yǒu shì   （jīn tiān）

4. Answer the questions about yourself.

Example

你 每 天 早 上 几 点 起 床?
nǐ měi tiān zǎo shang jǐ diǎn qǐ chuáng
我 每 天 早 上 七 点 半 起 床。
wǒ měi tiān zǎo shang qī diǎn bàn qǐ chuáng

(1)

你 每 天 晚 上 几 点 睡 觉?
nǐ měi tiān wǎn shang jǐ diǎn shuì jiào
_____

(2)

爸 爸 每 天 几 点 起 床?
bà ba měi tiān jǐ diǎn qǐ chuáng
_____

(3)

妈 妈 每 天 晚 上 几 点 睡 觉？
mā ma měi tiān wǎn shang jǐ diǎn shuì jiào
_____

5. Complete the following form with your own information.

Time	Activities
8:00	qǐchuáng 起床
8:30	
9:00	
12:00	
12:45	
13:15	
16:00	
17:30	
19:00	
20:30	
23:00	
24:00	

6. Activities.

Find information about Chinese students' daily schdule and compare your schdule with theirs.

7. Exercises for Chinese characters.

(1) Use components of these Chinese characters to form new characters.

(2) Identify the components of each of the following Chinese characters.

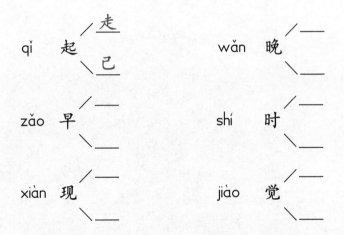

(3) Form Chinese characters by using the following given components.

令 + 阝 → (lín 邻)　目 + 垂 → (　　　)

宀 + 母 → (　　　)　广 + 木 → (　　　)

一 + 大 → (　　　)　⺍ + 见 → (　　　)

18 昨 天 、 今 天 、 明 天
zuó tiān   jīn tiān   míng tiān

1. **Match the word with its English meaning.**

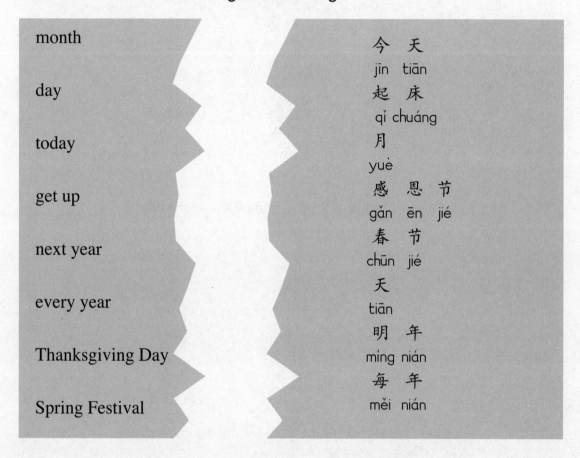

month

day

today

get up

next year

every year

Thanksgiving Day

Spring Festival

今 天
jīn tiān
起 床
qǐ chuáng
月
yuè
感 恩 节
gǎn ēn jié
春 节
chūn jié
天
tiān
明 年
míng nián
每 年
měi nián

2. **Form words with the characters in the box and add *Pinyin*.**

中	明	觉	医
篮	校	光	国
睡	盘	春	球
天	节	长	生

(1) 篮球 lánqiú   (2) _____

(3) _____   (4) _____

(5) _____   (6) _____

(7) _____   (8) _____

3. Make sentences with the words in the box.

(1) | Example |

我 的 生 日 是 ___1998___ 年
wǒ de shēng rì shì yī jiǔ jiǔ bā nián

___7___ 月 ___5___ 号。
qī yuè wǔ hào

_____

_____

_____

我 wǒ	1998-7-5
他 tā	1997-11-2
爸 爸 bà ba	1970-4-26
妹 妹 mèi mei	2000-1-9

(2) | Example |

昨 天 是 星 期 二。
zuó tiān shì xīng qī èr

_____

_____

_____

昨 天 zuó tiān	星 期 二 xīng qī èr
今 天 jīn tiān	星 期 六 xīng qī liù
明 天 míng tiān	星 期 四 xīng qī sì
3 月 8 号 sān yuè bā hào	星 期 三 xīng qī sān

4. Answer the questions.

| Example |

你 的 生 日 是 几 月 几 号？
nǐ de shēng rì shì jǐ yuè jǐ hào

我 的 生 日 是 五 月 二 十 五 号。
wǒ de shēng rì shì wǔ yuè èr shí wǔ hào

(1)

昨 天 是 几 月 几 号?
zuó tiān shì jǐ yuè jǐ hào

_____

(2)

明 天 下 午 你 上 课 吗?
míng tiān xià wǔ nǐ shàng kè ma

_____

(3)

十 一 月 二 十 四 号 是 感 恩 节 吗?
shí yī yuè èr shí sì hào shì gǎn ēn jié ma

_____

(4)

你 妈 妈 的 生 日 是 哪 一 年？
nǐ mā ma de shēng rì shì nǎ yì nián

_____

(5)

明 年 的 中 国 春 节 是 哪 一 天？
míng nián de zhōng guó chūn jié shì nǎ yì tiān

_____

5. Complete the following sentences.

(1) A: 昨 天 几 月 几 号？
      zuó tiān jǐ yuè jǐ hào

    A: 今 天 _____？
      jīn tiān

    A: 明 天 _____？
      míng tiān

B: 十 一 _____ 二 十 三 _____。
    shí yī   èr shí sān

B: 十 一 月 二 十 四 号。
    shí yī yuè èr shí sì hào

B: 十 一 月 二 十 五 号。
    shí yī yuè èr shí wǔ hào

(2) A: 感恩节是哪一天？ B: _____ 是感恩节。
    gǎn ēn jié shì nǎ yì tiān   shì gǎn ēn jié

    A: 圣诞节_____? B: _____。
    shèngdàn jié

    A: 春节_____? B: _____。
    chūn jié

6. Compare the western holidays with the Chinese holidays.

Western holidays		Chinese holidays	
Qíngrén Jié	情人节	Chūn Jié	春 节
Fùhuó Jié	复活节	Yuánxiāo Jié	元宵节
Gǎn'ēn Jié	感恩节	Duānwǔ Jié	端午节
Shèngdàn Jié	圣诞节	Zhōngqiū Jié	中秋节
Mǔqīn Jié	母亲节	Chóngyáng Jié	重阳节

7. Activities.

Take a calendar and circle any day to represent "today". Speak aloud the date of "yesterday" "today" and "tomorrow" and practice several times.

8. Exercises for Chinese characters.

(1) Identify the components of each of the following Chinese characters.

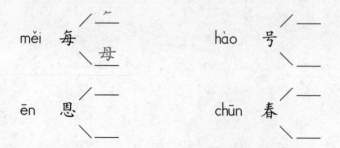

    měi 每   hào 号

    ēn 恩   chūn 春

(2) Form Chinese characters by using the following given components.

目 + 垂 → (shuì 睡)

日 + 乍 → (　　　) 口 + 乞 → (　　　) 口 + 尼 → (　　　)

咸 + 心 → (　　　) 因 + 心 → (　　　) 夫 + 日 → (　　　)

(3) Write the characters by following the stroke order.

yuè	月	月	月	月	月					
zhōng	中	中	中	中	中					
jié	节	节	节	节	节	节				
nián	年	年	年	年	年	年	年			
zuó	昨	昨	昨	昨	昨	昨	昨	昨	昨	昨

19 今天天气怎么样
jīn tiān tiān qì zěn me yàng

1. Add *Pinyin* to the following words.

下午 ___xiàwǔ___

外面 _____   下雨 _____

雨伞 _____   刮风 _____

怎么样 _____   可能 _____

2. Match the Chinese in the box with English.

外面　带　下雨
下午　可能　风
星期　天气

weather ___天气___   maybe _____

rain _____   bring _____

outside _____   afternoon _____

wind _____   week _____

3. Translate the following sentences.

(1) 明 天 晚 上 天 气 怎 么 样?
    míng tiān wǎn shang tiān qì zěn me yàng

_____

(2) 今 天 下 午 可 能 下 雨。
    jīn tiān xià wǔ kě néng xià yǔ

_____

(3) 你 的 中 文 光 盘 在 哪 儿?
    nǐ de zhōng wén guāng pán zài nǎr

_____

(4) 外 面 下 雨, 你 带 雨 衣 吧。
    wài miàn xià yǔ nǐ dài yǔ yī ba

_____

4. Complete the following dialogues according to the pictures.

Example

A: 今 天 天 气 怎 么 样?
　　jīn tiān tiān qì zěn me yàng
B: 今 天 <u>刮 风</u>。
　　jīn tiān guā fēng

(1) A: 昨 天 天 气 怎 么 样?
　　　zuó tiān tiān qì zěn me yàng
　　B: 昨 天 ＿＿＿＿＿＿。
　　　zuó tiān

(2) A: 明 天 晚 上 天 气 怎 么 样?
　　　míng tiān wǎn shang tiān qì zěn me yàng
　　B: 明 天 晚 上 可 能 ＿＿＿＿＿＿。
　　　míng tiān wǎn shang kě néng

(3) A: 王 家 明 英 语 怎 么 样?
　　　wáng jiā míng yīng yǔ zěn me yàng
　　B: ＿＿＿＿＿＿＿＿＿＿＿＿。

5. Complete the following dialogue with the words in the box.

可能	带	吧	在	现在	怎么样	去
kě néng	dài	ba	zài	xiàn zài	zěn me yàng	qù

A: 妈 妈, 今 天 天 气 _____?
    mā ma jīn tiān tiān qì

B: _____刮 风, 晚 上 _____下 雨。你 有 事 吗?
    guā fēng wǎn shang   xià yǔ nǐ yǒu shì ma

A: 是 的, 晚 上 我 _____外 面。
    shì de wǎn shang wǒ   wài miàn

B: 你 _____上 雨 伞 _____!
    nǐ   shàng yǔ sǎn

A: 好, 雨 伞 _____哪 儿?
    hǎo yǔ sǎn   nǎr

B: 在 这 里, 给 你。
    zài zhè lǐ gěi nǐ

6. Complete the following table.

Day of a week	Weather
星期一	xià xuě 下雪
星期二	
星期三	
星期四	
星期五	
星期六	
星期日	

7. Activities.

Find information of China's weather and compare it with your country.

8. Exercises for Chinese characters.

(1) Identify the components of each of the following Chinese characters.

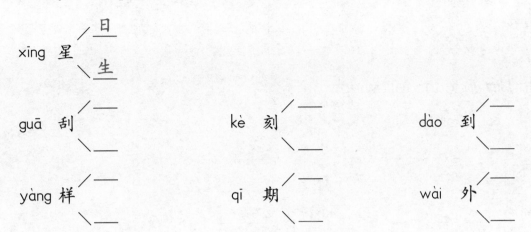

(2) Form Chinese characters by using the following given components.

其 + 月 → (qī 期)

舌 + 刂 → (　　　)　亥 + 刂 → (　　　)　至 + 刂 → (　　　)

乍 + 心 → (　　　)　因 + 心 → (　　　)　亻 + 尔 + 心 → (　　　)

(3) Write the characters by following the stroke order.

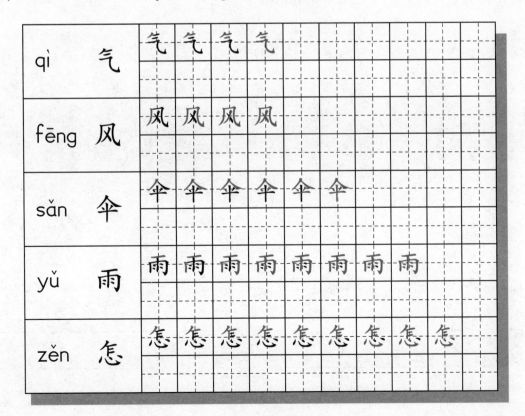

20　冬天冷，夏天热
dōng tiān lěng　xià tiān rè

1. Add *Pinyin* to the following words.

节日 ___jiérì___

非常 _____　　秋天 _____

夏天 _____　　新年 _____

最近 _____　　觉得 _____

2. Match the Chinese in the box with English.

春天　夏天　秋天

冬天　节日　常常

热　冷　打算　　忙

spring ___春天___　　festival _____

often _____　　cold _____

hot _____　　winter _____

plan (to) _____　　autumn _____

summer _____　　busy _____

3. Make sentences with the words in the box.

(1)

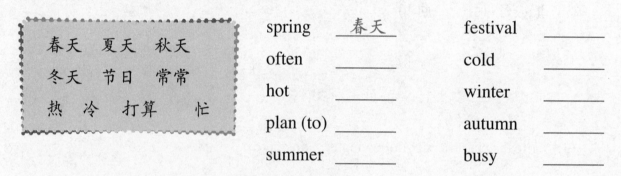

明	天	下	午	去	今	天	晚	上	吃
míng	tiān	xià	wǔ	qù	jīn	tiān	wǎn	shang	chī

今	年	秋	天	学	明	年	夏	天	去
jīn	nián	qiū	tiān	xué	míng	nián	xià	tiān	qù

Example

杰 克 打 算 <u>明 天 下 午 去</u> 朋 友 家。

jié　kè　dǎ　suàn　míng　tiān　xià　wǔ　qù　péng　you　jiā

_____

_____

(2)

每 年 春 天 měi nián chūn tiān	最 忙 zuì máng
北 京 的 夏 天 běi jīng de xià tiān	很 热 hěn rè
朋 友 的 家 péng you de jiā	非 常 大 fēi cháng dà
玛 丽 的 中 文 mǎ lì de zhōng wén	很 好 hěn hǎo

Example

林 老 师 觉 得 <u>每 年 春 天 最 忙</u>。
lín lǎo shī jué de měi nián chūn tiān zuì máng

_____

_____

_____

4. Complete the following dialogues.

(1) A: 夏 天 你 打 算 去 哪 儿?
　　 xià tiān nǐ dǎ suàn qù nǎr

　　B: _____

(2) A: _____

　　B: 今 天 晚 上 我 打 算 吃 比 萨 饼。
　　　 jīn tiān wǎn shang wǒ dǎ suàn chī bǐ sà bǐng

(3) A: 你 觉 得 这 里 的 冬 天 冷 不 冷?
　　 nǐ jué de zhè lǐ de dōng tiān lěng bu lěng

　　B: _____

(4) A: 你 觉 得 学 中 文 怎 么 样?
　　 nǐ jué de xué zhōng wén zěn me yàng

　　B: _____

(5) A: 你 的 老 师 最 近 忙 不 忙?
　　 nǐ de lǎo shī zuì jìn máng bu máng

　　 B: _____

(6) A: 你 最 近 怎 么 样?
　　 nǐ zuì jìn zěn me yàng

　　 B: _____

5. Read the letter and then answer the questions.

小 雨:
xiǎo yǔ

　　 春 节 好! 在 美 国 收 到 (receive) 你 的 E-mail 我 很 高 兴。
　　 chūn jié hǎo zài měi guó shōu dào 　　 nǐ de E-mail wǒ hěn gāo xìng

你 跟 你 的 爸 爸 妈 妈 都 好 吗? 昨 天 晚 上 是 除
nǐ gēn nǐ de bà ba mā ma dōu hǎo ma zuó tiān wǎn shang shì chú

夕 (New Year's eve), 我 和 朋 友 们 很 高 兴。 你 最 近
xī 　　　　　　　　 wǒ hé péng you men hěn gāo xìng 　 nǐ zuì jìn

忙 不 忙? 我 很 忙, 每 天 都 有 课。 我 打 算 明 年 在
máng bu máng wǒ hěn máng měi tiān dōu yǒu kè 　 wǒ dǎ suàn míng nián zài

中 国 过 新 年。
zhōng guó guò xīn nián

　　 祝 你 节 日 快 乐!
　　 zhù nǐ jié rì kuài lè

　　　　　　　　　　　　　　　　　　 你 的 朋 友 　 王 家 明
　　　　　　　　　　　　　　　　　　 nǐ de péng you 　 wáng jiā míng

(1) 现 在 是 什 么 节 日?
　　 xiàn zài shì shén me jié rì

　　 _____

(2) 小 雨 是 谁?
　　 xiǎo yǔ shì shéi

　　 _____

(3) 王 家 明 现 在 在 哪 里? 小 雨 呢?
wáng jiā míng xiàn zài zài nǎ lǐ xiǎo yǔ ne

_____

(4) 王 家 明 最 近 怎 么 样?
wáng jiā míng zuì jìn zěn me yàng

_____

(5) 王 家 明 每 天 做 什 么?
wáng jiā míng měi tiān zuò shén me

_____

(6) 王 家 明 打 算 做 什 么?
wáng jiā míng dǎ suàn zuò shén me

_____

6. Write a short passage about the weather of your city with the given words.

这里	zhèlǐ
天气	tiānqì
春天	chūntiān
夏天	xiàtiān
秋天	qiūtiān
冬天	dōngtiān
下雨	xià yǔ
冷	lěng
热	rè
风	fēng

7. Activities.

Search the Internet and find out which countries are cold in winter and hot in summer. Try to read aloud their names in Chinese.

8. Exercises for Chinese characters.

(1) Identify the components of each of the following Chinese characters.

zǎo 早 ╱ 日
╲ 十

xīn 新 ╱ —
╲ —

qiū 秋 ╱ —
╲ —

lěng 冷 ╱ —
╲ —

zuì 最 ╱ —
╲ —

(2) Form Chinese characters by using the following given components.

舌 ＋ 刂 → (guā 刮)

禾 ＋ 火 → (　　　) 禾 ＋ 口 → (　　　　)

执 ＋ 灬 → (　　　) 百 ＋ 夂 → (　　　　)

(3) Write the characters by following the stroke order.

dōng	冬	冬	冬	冬	冬	冬						
lěng	冷	冷	冷	冷	冷	冷	冷	冷				
jìn	近	近	近	近	近	近	近	近				
qiū	秋	秋	秋	秋	秋	秋	秋	秋	秋	秋		
xià	夏	夏	夏	夏	夏	夏	夏	夏	夏	夏	夏	
zuì	最	最	最	最	最	最	最	最	最	最	最	最

Unit Five

Food and Clothing

21　我要二十个饺子

wǒ yào èr shí gè jiǎo zi

1. Form words with the characters in the box and add *Pinyin*.

先	鸡	饺	秋
饮	刮	蛋	雨
天	伞	料	生
共	子	风	一

(1) 先生　xiānsheng

(2) _____

(3) _____

(4) _____

(5) _____

(6) _____

(7) _____

(8) _____

2. Add *Pinyin* and meaning to the following words.

碗　　wǎn　　　bowl　　　　　汤　_____　_____

喝　_____　_____　　饮料　_____　_____

先生　_____　_____　　鸡蛋　_____　_____

春天　_____　_____　　一点儿　_____　_____

3. Add the appropriate measure words.

Example

三　张　光　盘

sān zhāng guāng pán

(1)

一____比　萨　饼

yī　　　　bǐ　sà　bǐng

(2)

两 _____ 狗
liǎng　　 gǒu

(3)

三 _____ 人
sān 　　 rén

(4)

五 _____ 饺 子
wǔ 　　 jiǎo zi

(5)

一 _____ 汤
yì 　　 tāng

4. Complete the following dialogues according to the pictures.

Example

A: 您 吃 点 儿 什 么?
　 nín chī diǎnr　 shén me

B: <u>十 个 饺 子。</u>
　 shí gè jiǎo zi

(1)

A: 您 吃 _____ 什 么?
　 nín chī 　　　　 shén me

B: 二 十 _____ 饺 子。
　 èr shí 　　　　 jiǎo zi

(2)

A: 您_____?
nín

B: 二 十____饺 子 和 一____鸡 蛋 汤。
èr shí jiǎo zi hé yì jī dàn tāng

(3)

A: 您 喝_____什 么?
nín hē shén me

B: 我 要 一_____鸡 蛋 汤。
wǒ yào yì jī dàn tāng

5. Complete the following dialogues with the words in the box.

(1)

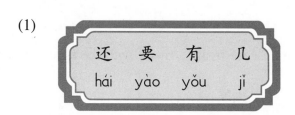

还	要	有	几
hái	yào	yǒu	jǐ

A: 先 生,_____鸡 蛋 汤 吗?
xiān sheng jī dàn tāng ma

B: 有,您 要_____碗?
yǒu nín yào wǎn

A: 我_____两 碗。
wǒ liǎng wǎn

B: 您_____要 什 么?
nín yào shén me

A: 谢 谢! 不 要 了。
xiè xie bú yào le

(2)

个	点儿	什么	要	碗	一共
gè	diǎnr	shén me	yào	wǎn	yí gòng

A: 先 生, 您 吃 _____ 什 么?
xiān sheng nín chī   shén me

B: 我 要 二 十 _____ 饺 子。
wǒ yào èr shí   jiǎo zi

A: 好。您 喝 _____ 饮 料?
hǎo nín hē   yǐn liào

B: 我 不 要 饮 料, 我 _____ 一 _____ 鸡 蛋 汤。
wǒ bú yào yǐn liào wǒ   yì   jī dàn tāng

A: 好, 马 上 来。
hǎo mǎ shàng lái

B: _____ 多 少 钱?
          duō shao qián

A: 二 十 一 元。
èr shí yī yuán

6. Activities.

Imagine that you just open a Chinese resturant. Please make a menu with the speciality and price.

7. Exercises for Chinese characters.

(1) Identify the components of each of the following Chinese characters.

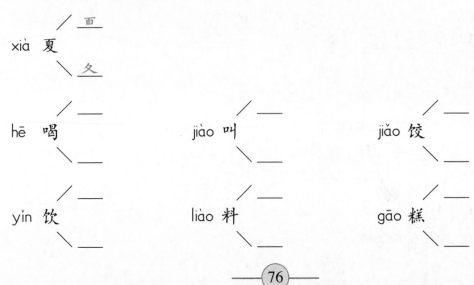

xià 夏 ⟨ 百 / 夂

hē 喝   jiào 叫   jiǎo 饺

yǐn 饮   liào 料   gāo 糕

(2) Form Chinese characters by using the following given components.

冫 + 令 → （lěng 冷）　　饣 + 欠 → （　　　）　　又 + 鸟 → （　　　）

氵 + 易 → （　　　）　　氵 + 票 → （　　　）　　石 + 宛 → （　　　）

(3) Look at these pictures and write Chinese characters.

a.

_____

b.

_____

c.

_____

d.

_____

e.

_____

f.

_____

g.

_____

h.

_____

22 你们家买不买年货

ní men jiā mǎi bu mǎi nián huò

1. **Translate the following words.**

   (1) hòutiān 后天 <u>the day after tomorrow</u>　　rènao 热闹 _____

   　　míngtiān 明天 _____　　qùnián 去年 _____

   　　shōudào 收到 _____　　yāsuìqián 压岁钱 _____

   (2) thing　<u>东西 dōngxi</u>　　buy _____

   　　use _____　　gift _____

   　　receive _____　　because _____

2. **Form phrases with the words in the box and add *Pinyin*.**

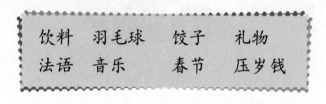

饮料　羽毛球　　饺子　　礼物
法语　音乐　　　春节　　压岁钱

   mǎi　买　<u>礼物 lǐwù</u>　　chī　吃 _____

   guò　过 _____　　hē　喝 _____

   dǎ　打 _____　　tīng　听 _____

   shōudào　收到 _____　　xué　学 _____

3. **Write Chinese and *Pinyin* of the following words.**

   today　<u>今天</u>　<u>jīntiān</u>

   yesterday _____ _____　　tomorrow _____ _____

   the day after tomorrow _____ _____　　last tear _____ _____

   this year _____ _____　　next year _____ _____

4. Complete the following dialogues according to the pictures.

为　什　么　今　天　这　里　很　热　闹？
wèi shén me jīn tiān zhè lǐ hěn rè nao
因　为　今　天　是　春　节。
yīn wèi jīn tiān shì chūn jié

(1)

他　为　什　么　带　雨　衣？
tā wèi shén me dài yǔ yī
因　为　外　面　可　能　_____。
yīn wèi wài miàn kě néng

(2)

王　家　明　为　什　么　很　高　兴？
wáng jiā míng wèi shén me hěn gāo xìng
因　为　他　收　到　很　多_____。
yīn wèi tā shōu dào hěn duō

(3)

她　为　什　么　喜　欢　这　里　的　春　天？
tā wèi shén me xǐ huan zhè lǐ de chūn tiān
_____不　冷　也　不　热。
　　　　　　　　bù lěng yě bú rè

(4)

杰 克 为 什 么 觉 得 很 热?
jié kè wèi shén me jué de hěn rè
因 为 他 ＿＿＿＿＿＿＿＿＿＿。
yīn wèi tā

(5)

玛 丽 为 什 么 很 高 兴?
mǎ lì wèi shén me hěn gāo xìng
因 为 她 收 到 很 多 ＿＿＿＿＿＿。
yīn wèi tā shōu dào hěn duō

5. Make sentences with the words in the box.

(1) **Example**

王 家 明 <u>买 不 买 年 货</u>?
wáng jiā míng mǎi bu mǎi nián huò

＿＿＿＿＿＿＿＿＿＿＿＿＿＿＿＿＿＿

＿＿＿＿＿＿＿＿＿＿＿＿＿＿＿＿＿＿

＿＿＿＿＿＿＿＿＿＿＿＿＿＿＿＿＿＿

买	年货
开	车
吃	饺子
学	中文

(2) Example

过 年 的 时 候 有 没 有 礼 物?
guò nián de shí hou yǒu méi yǒu lǐ wù

_____

_____

_____

过年	礼物
感恩节	压岁钱
春天	雨
夏天	风

6. Activities.

Search the Internet and find out how Chinese people greet each other in the Spring Festival. Learn their meanings and try to greet with them.

7. Exercises for Chinese characters.

(1) Identify the components of each of the following Chinese characters.

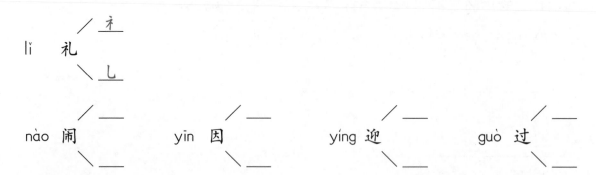

(2) Form Chinese characters by using the following given components.

占 ＋ 灬 → （ diǎn 点 ）

又 ＋ 寸 → （   ）   又 ＋ 欠 → （   ）

彳 ＋ 艮 → （   ）   彳 ＋ 丁 → （   ）

(3) Write the characters by following the stroke order.

wèi 为	为 为 为 为
lǐ 礼	礼 礼 礼 礼 礼
yīn 因	因 因 因 因 因 因
nào 闹	闹 闹 闹 闹 闹 闹 闹 闹

23　你喜欢什么颜色
nǐ　xǐ　huan shén me yán sè

1. Form words with the characters in the box and add *Pinyin*.

蓝	明	草	树
海	热	木	闹
面	地	大	色
亮	所	包	以

(1) ___蓝色 lánsè___　　　(2) _____

(3) _____　　　(4) _____

(5) _____　　　(6) _____

(7) _____　　　(8) _____

2. Match the Chinese in the box with English.

大海	红色	橙色
绿色	树木	明亮
打算	草地	

sea　　___大海___　　　green　　_____

plan　　_____　　　tree　　_____

red　　_____　　　bright　　_____

orange　_____　　　grassland _____

3. Choose the appropriate measure words.

(1) 我 很 喜 欢 这（种 个）果 酱。
wǒ hěn xǐ huan zhè (zhǒng gè) guǒ jiàng

(2) 中 国 有 很 多（种 个）树 木。
zhōng guó yǒu hěn duō (zhǒng gè) shù mù

(3) 昨 天 晚 上 他 吃 了 二 十（种 个）饺 子。
zuó tiān wǎn shang tā chī le èr shí (zhǒng gè) jiǎo zi

(4) 我 们 学 校 有 三 十 五（种 个）中 国 学 生。
wǒ men xué xiào yǒu sān shí wǔ (zhǒng gè) zhōng guó xué shēng

4. Make sentences with the words according to the pictures.

因为 下 雨，
yīn wèi xià yǔ

所以 我 带 雨伞。
suǒ yǐ wǒ dài yǔ sǎn

(1)

因 为 ＿＿＿＿＿＿＿，
yīn wèi

所 以 我 买 年货。
suǒ yǐ wǒ mǎi nián huò

(2)

因 为 红 色 很 明 亮，
yīn wèi hóng sè hěn míng liàng

所 以 ＿＿＿＿＿＿＿＿。
suǒ yǐ

(3)

＿＿＿＿＿ 现 在 是 冬 天，
xiàn zài shì dōng tiān

＿＿＿＿＿ 外 面 很 冷。
wài miàn hěn lěng

5. **Answer the questions according to the pictures.**

Example

大 海 是 什 么 颜 色 的?
dà hǎi shì shén me yán sè de
大 海 是 蓝 色 的。
dà hǎi shì lán sè de

(1) 树 木 和 草 地 是 什 么 颜 色 的?
shù mù hé cǎo dì shì shén me yán sè de

_____

(2) 果 酱 是 不 是 红 色 的?
guǒ jiàng shì bu shì hóng sè de

_____

(3) 你 喜 欢 绿 色 吗?
nǐ xǐ huan lǜ sè ma

_____

6. Complete the following dialogues with the words in the box.

(1)

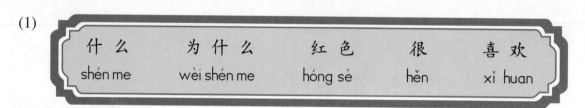

什么	为什么	红色	很	喜欢
shén me	wèi shén me	hóng sè	hěn	xǐ huan

A: 你 喜 欢 _____ 颜 色?
    nǐ xǐ huan   yán sè

B: 我 喜 欢 _____。你 呢?
    wǒ xǐ huan   nǐ ne

A: 我 _____ 蓝 色。你 _____ 喜 欢 红 色?
    wǒ   lán sè nǐ   xǐ huan hóng sè

B: 因 为 红 色 _____ 明 亮。
    yīn wèi hóng sè   míng liàng

(2)

种	因为	最	喜欢	吗
zhǒng	yīn wèi	zuì	xǐ huan	ma

A: 你 _____ 橙 色 _____?
    nǐ   chéng sè

B: 是 的, 我 _____ 喜 欢 橙 色。
    shì de wǒ   xǐ huan chéng sè

A: 你 为 什 么 最 喜 欢 这 _____ 颜 色?
    nǐ wèi shén me zuì xǐ huan zhè   yán sè

B: _____ 我 爸 爸 的 车 是 橙 色 的。
         wǒ bà ba de chē shì chéng sè de

7. Activities.

Choose one of your favorite pictures and talk about its colors.

8. Exercises for Chinese characters.

(1) Identify the components of each of the following Chinese characters.

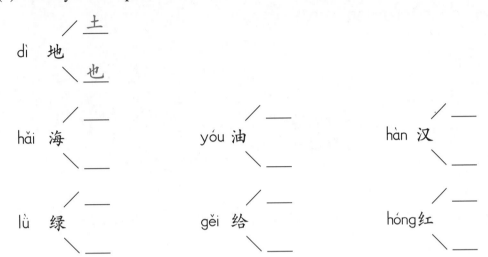

dì 地

／土

＼也

hǎi 海   ／__   ＼__

yóu 油   ／__   ＼__

hàn 汉   ／__   ＼__

lǜ 绿   ／__   ＼__

gěi 给   ／__   ＼__

hóng 红   ／__   ＼__

(2) Form Chinese characters by using the following given components.

口＋大→（ yīn 因 ）

艹＋早→（　　　）　　艹＋监→（　　　）广＋月→（　　　）

木＋又＋寸→（　　　）禾＋中→（　　　）木＋登→（　　　）

(3) Write the color of the fruit in Chinese characters.

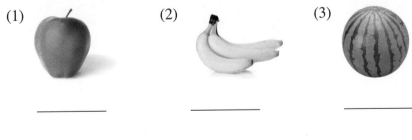

(1)　　　　　　(2)　　　　　　(3)

_____　　　_____　　　_____

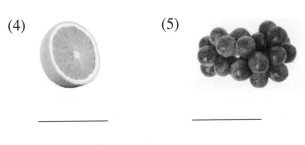

(4)　　　　　　(5)

_____　　　_____

24 穿 这 件 还 是 穿 那 件
chuān zhè jiàn hái shi chuān nà jiàn

1. Add *Pinyin* to the following words.

配 _____pèi_____

衣服 _____   穿 _____

还是 _____   不错 _____

裙子 _____   如果 _____

2. Match the Chinese in the box with English words or phrases.

如果   衣服
不错   黑色
还是   穿
草地   橙色

if _____如果_____   black _____

or _____   not bad _____

wear _____   clothes _____

grassland _____   orange _____

3. Complete the following sentences with "如果……就……".

(1) 如 果 你 喜 欢 中 文, _____。
rú guǒ nǐ xǐ huan zhōng wén

(2) _____, 就 买 那 件 红 色 的 衣 服 吧!
jiù mǎi nà jiàn hóng sè de yī fu ba

(3) 如 果 外 面 冷, _____。
rú guǒ wài miàn lěng

(4) 如 果 你 觉 得 饺 子 不 错, ＿＿＿＿＿＿＿＿＿＿。
　　 rú guǒ nǐ jué de jiǎo zi bú cuò

(5) ＿＿＿＿＿＿＿＿＿＿, 就 不 去 学 校 吧!
　　　　　　　　　　 jiù bú qù xué xiào ba

(6) 如 果 明 天 天 气 好, ＿＿＿＿＿＿＿＿＿。
　　 rú guǒ míng tiān tiān qì hǎo

4. **Make dialogues according to the pictures.**

Example

吃 饺 子 / 吃 包 子
chī jiǎo zi chī bāo zi

A: 你 吃 饺 子 还 是 吃 包 子?
　 nǐ chī jiǎo zi hái shi chī bāo zi

B: 我 吃 饺 子。
　 wǒ chī jiǎo zi

(1) 喝 饮 料 / 喝 汤
　　 hē yǐn liào hē tāng

A: ＿＿＿＿＿＿＿＿＿＿＿＿

B: ＿＿＿＿＿＿＿＿＿＿＿＿

(2) 穿 红 色 衣 服 / 穿 蓝 色 衣 服
chuān hóng sè yī fu chuān lán sè yī fu

A: _____

B: _____

(3) 喜 欢 猫 / 喜 欢 狗
xǐ huan māo xǐ huan gǒu

A: _____

B: _____

5. **Make sentences with the words in the box.**

Example

你 打 篮 球 还 是 打 羽 毛 球?
nǐ dǎ lán qiú hái shi dǎ yǔ máo qiú

_____

_____

_____

打篮球	打羽毛球
喜欢秋天	喜欢冬天
学汉语	学法语
带雨伞	带雨衣

6. Activities.

Orgnize and match clothes you have and try to describe the matches in Chinese.

7. Exercises for Chinese characters.

(1) Identify the components of each of the following Chinese characters.

(2) Form Chinese characters by using the following given components.

氵＋每→（ hǎi 海 ）　　女＋口→（　　　）　　衤＋君→（　　　）

穴＋牙→（　　　）　　酉＋己→（　　　）　　彦＋页→（　　　）

(3) Write the characters by following the stroke order.

yī	衣	衣 衣 衣 衣 衣 衣										
rú	如	如 如 如 如 如 如										
fú	服	服 服 服 服 服 服 服 服										
chuān	穿	穿 穿 穿 穿 穿 穿 穿 穿 穿										
hēi	黑	黑 黑 黑 黑 黑 黑 黑 黑 黑 黑 黑 黑										

他 什 么 样 子
tā shén me yàng zi

1. **Form words with the characters in the box and add *Pinyin*.**

头	样	色	镜
码	白	车	号
牌	衣	墨	发
树	子	木	服

(1) 头发 tóufa   (2) _____

(3) _____   (4) _____

(5) _____   (6) _____

(7) _____   (8) _____

2. **Translate the following words.**

(1) tóufa   头发   _____hair_____   nán   男   _____

     cháng   长   _____   mòjìng   墨镜   _____

     zǐsè   紫色   _____   rúguǒ   如果   _____

(2) white   ____白色____   yellow   _____

     number   _____   appearance   _____

     sea   _____   green   _____

3. **Add the appropriate measure words.**

Example

一__件__衣 服
yí   jiàn   yī   fu

(1)

一_____眼 镜
yí   yǎn jìng

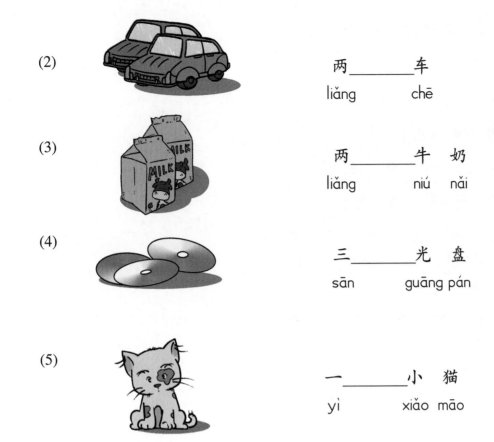

(2) 两＿＿＿＿＿车
    liǎng   chē

(3) 两＿＿＿＿＿牛 奶
    liǎng   niú nǎi

(4) 三＿＿＿＿＿光 盘
    sān   guāng pán

(5) 一＿＿＿＿＿小 猫
    yì   xiǎo māo

4. Fill in the blanks with the words in the box.

穿　　　　戴
chuān　　　dài

(1) 那 个 男 的＿＿＿＿＿一 副 黑 色 的 眼 镜。
    nà gè nán de   yí fù hēi sè de yǎn jìng

(2) 小 雨 今 天 ＿＿＿＿＿一 件 漂 亮 的 裙 子。
    xiǎo yǔ jīn tiān   yí jiàn piàoliang de qún zi

(3) 外 面 很 冷, 王 先 生 打 算＿＿＿＿＿手 套 (glove)。
    wài miàn hěn lěng wáng xiān sheng dǎ suàn   shǒu tào

(4) 那 个 人＿＿＿＿＿帽 子 (cap) 吗?
    nà gè rén   mào zi   ma

93

5. **Choose the correct responses.**

你 要 什 么?
nǐ yào shén me

我 要 二 十 个 饺 子。
wǒ yào èr shí gè jiǎo zi

◆ 我 吃 二 十 个 饺 子。
   wǒ chī èr shí gè jiǎo zi

◆ 我 要 二 十 个 饺 子。
   wǒ yào èr shí gè jiǎo zi

(1) 为 什 么 今 天 很 冷?
   wèi shén me jīn tiān hěn lěng

_____

◆ 因 为 今 天 下 雨。
   yīn wèi jīn tiān xià yǔ

◆ 因 为 这 里 是 冬 天。
   yīn wèi zhè lǐ shì dōng tiān

(2) 一 共 多 少 钱?
   yí gòng duō shao qián

_____

◆ 一 共 三 十 五 元。
   yí gòng sān shí wǔ yuán

◆ 找 您 十 五 元。
   zhǎo nín shí wǔ yuán

(3) 开 车 的 人 是 男 的 还 是 女 的?
     kāi chē de rén shì nán de hái shi nǚ de

_____

◆ 一 个 女 人 开 车。
    yí gè nǚ rén kāi chē
◆ 开 车 的 人 是 女 的。
    kāi chē de rén shì nǚ de

(4) 你 的 裙 子 是 什 么 颜 色 的?
    nǐ de qún zi shì shén me yán sè de

_____

◆ 我 的 裙 子 白 色 的。
    wǒ de qún zi bái sè de
◆ 我 的 裙 子 是 白 色 的。
    wǒ de qún zi shì bái sè de

6. **Read the passage and then answer the questions.**

那 个 人 是 女 的, 头 发 不 是 很 长, 是 红 色 的。 她
nà gè rén shì nǚ de tóu fa bú shì hěn cháng shì hóng sè de tā
戴 一 副 黑 色 的 墨 镜, 穿 紫 色 的 上 衣、 蓝 色 的 裙 子。
dài yí fù hēi sè de mò jìng chuān zǐ sè de shàng yī lán sè de qún zi
她 开 车, 是 灰 色 的, 车 牌 是 本 地 (local) 的, 号 码 是
tā kāi chē shì huī sè de chē pái shì běn dì de hào mǎ shì
NC7981 还 是 NC7957? 我 忘 记 (forget) 了……我 看 见 (see) 她
NC7981 hái shi NC7957 wǒ wàng jì le wǒ kàn jiàn tā
的 时 候, 我 在 超 市 (supermarket) 外 面。 那 天 是 新 年,
de shí hou wǒ zài chāo shì wài miàn nà tiān shì xīn nián
我 去 买 年 货。
wǒ qù mǎi nián huò

(1) 那 个 人 是 男 的 还 是 女 的？
nà gè rén shì nán de hái shì nǔ de

_____

(2) 那 个 人 的 头 发 长 不 长？
nà gè rén de tóu fa cháng bu cháng

_____

(3) 那 个 人 戴 什 么？
nà gè rén dài shén me

_____

(4) 那 个 人 开 不 开 车？
nà gè rén kāi bu kāi chē

_____

(5) 那 辆 车 的 号 码 是 多 少？
nà liàng chē de hào mǎ shì duō shǎo

_____

(6) 那 天 "我" 在 哪 儿？
nà tiān wǒ zài nǎr

_____

(7) 那 天 "我" 为 什 么 买 东 西？
nà tiān wǒ wèi shén me mǎi dōng xi

_____

7. Activities.

Describe in Chinese what your Mr or Miss right looks like.

8. Exercises for Chinese characters.

(1) Identify the components of each of the following Chinese characters.

chuān 穿 ⟨ 穴 / 牙

liàng 辆 ⟨ — / —

fù 副 ⟨ — / —

dào 到 ⟨ — / —

guā 刮 ⟨ — / —

qián 钱 ⟨ — / —

jìng 镜 ⟨ — / —

(2) Form Chinese characters by using the following given components.

月 + 艮 → （ fú 服 ）

里 + 灬 → （　　　）　　片 + 卑 → （　　　　）

田 + 力 → （　　　）　　黑 + 土 → （　　　　）

(3) Write the characters by following the stroke order.

cháng 长	长	长	长	长						
bái 白	白	白	白	白	白					
tóu 头	头	头	头	头	头					
fà 发	发	发	发	发	发					
nán 男	男	男	男	男	男	男	男			

Unit Six

Sports and Health

26   你 哪 儿 不 舒 服
       nǐ nǎr   bù shū fu

1. Add *Pinyin* to the following words.

药 ___yào___

疼 _____   左 _____

问题 _____   舒服 _____

检查 _____   腿 _____

2. Translate the following words.

(1) xiūxi   休息 ___take a rest___   shūfu   舒服 _____

    wèntí   问题 _____   jiǎnchá 检查 _____

    yīshēng 医生 _____   yíxià   一下 _____

(2) head _____头_____   aching _____

    left _____   above   _____

    leg   _____   medicine _____

3. Write the words of body parts in Chinese.

(1) ___头 tóu___   (2) _____

(3) _____   (4) _____

(5) _____   (6) _____

(7) _____   (8) _____

(9) _____   (10) _____

4. **Choose the correct words.**

(1) 今 天 的 天 气 (一 点 儿　　有 点 儿) 冷。
　　　jīn tiān de tiān qì (yì diǎnr　　yǒu diǎnr)　　lěng

(2) 杰 克 的 腿 (一 点 儿　　有 点 儿) 疼。
　　　jié kè de tuǐ (yì diǎnr　　yǒu diǎnr)　　téng

(3) 他 打 算 喝 (一 点 儿　　有 点 儿) 鸡 蛋 汤。
　　　tā dǎ suàn hē (yì diǎnr　　yǒu diǎnr)　　jī dàn tāng

(4) 林 老 师 打 算 休 息 (一 点 儿　　一 下)。
　　　lín lǎo shī dǎ suàn xiū xi (yì diǎnr　　yí xià)

(5) 比 萨 饼 很 好, 你 吃 (一 点 儿　　一 下) 吧!
　　　bǐ sà bǐng hěn hǎo nǐ chī (yì diǎnr　　yí xià)　　ba

(6) 王 先 生 不 舒 服, 医 生 要 检 查 (一 点 儿
　　　wáng xiānsheng bù shū fu yī shēng yào jiǎn chá (yì diǎnr

一 下)。
yí xià)

5. **Make sentences with the words in the box.**

(1) ┃Example┃

王 家 明 的 肚 子 有 点 儿 疼。
wáng jiā míng de dù zi yǒu diǎnr téng

王家明	肚子
林老师	腿
妈妈	眼睛

_____

_____

100

(2) **Example**

爷 爷 的 右 腿 有 点 儿 不 舒 服。
yé ye de yòu tuǐ yǒu diǎnr bù shū fu

爷爷	右腿
玛丽	手
哥哥	耳朵

_____

_____

6. Complete the following dialogues with the words in the box.

(1)

也　　一下　　哪儿　　舒服　疼
yě　　yí xià　　nǎr　　shū fu　téng

A: 你 _____ 疼?
　　nǐ　　　　　téng

B: 我 的 腿 _____。
　　wǒ de tuǐ

A: 还 有 哪 儿 不 _____?
　　hái yǒu nǎr　　bù

B: 我 的 头 _____ 有 点 儿 疼。
　　wǒ de tóu　　　　yǒu diǎnr　téng

A: 好，我 检 查 _____。
　　hǎo wǒ jiǎn chá

(2)

一天	有点儿	问题	哪儿
yì tiān	yǒu diǎnr	wèn tí	nǎr

A: 医 生，我 的 身 体 有 _____ 吗?
     yī shēng wǒ de shēn tǐ yǒu   ma

B: 你 _____ 不 舒 服?
     nǐ   bù shū fu

A: 我 的 头 _____ 疼。
     wǒ de tóu   téng

B: 吃 点 儿 药，休 息 _____。
     chī diǎnr   yào xiū xi

A: 谢 谢!
     xiè xie

7. Activities.

Try to translate one or two sentences in medicine labels you can find in your home.

8. Exercises for Chinese characters.

(1) Identify the components of each of the following Chinese characters.

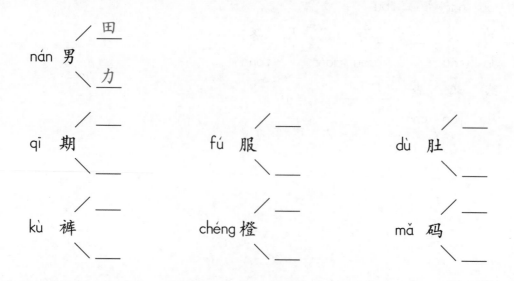

(2) Form Chinese characters by using the following given components.

车＋两→（liàng 辆）

广＋冬→（　　　）　此＋纟→（　　　）　纟＋工→（　　　）

纟＋录→（　　　）　钅＋竟→（　　　）　木＋旦→（　　　）

(3) Write the characters by following the stroke order.

zuǒ 左	左	左	左	左	左							
xiū 休	休	休	休	休	休	休						
yào 药	药	药	药	药	药	药	药	药	药			
tuǐ 腿	腿	腿	腿	腿	腿	腿	腿	腿	腿	腿	腿	腿

27 你会游泳吗

nǐ huì yóu yǒng ma

1. **Match the picture with the corresponding word.**

跑 步
pǎo bù

游 泳
yóu yǒng

打 羽 毛 球
dǎ yǔ máo qiú

打 篮 球
dǎ lán qiú

打 排 球
dǎ pái qiú

2. **Translate the following words.**

(1) yào shi 要是 ___if___   duàn liàn 锻炼 _____

pái qiú 排球 _____   jiāo 教 _____

huì 会 _____   shū fu 舒服 _____

(2) like ___喜欢___   run _____

swim _____   sports _____

often _____   body _____

3. **Rearrange the following words to form sentences.**

　　(1) 我　打　喜欢　篮球

　　　　wǒ　dǎ　xǐhuan　lánqiú

　　　　_____

　　(2) 我　朋友　不　唱歌　喜欢　的

　　　　wǒ　péngyou　bù　chànggē　xǐhuan　de

　　　　_____

　　(3) 要是　你　有　教　我　时间　吧

　　　　yàoshi　nǐ　yǒu　jiāo　wǒ　shíjiān　ba

　　　　_____

　　(4) 林老师　游泳　吗　会

　　　　línlǎoshī　yóuyǒng　ma　huì

　　　　_____

4. **Answer the following questions according to the pictures.**

Example

你　会　游　泳　吗?
nǐ　huì　yóu　yǒng　ma
是　的，<u>我　会　游　泳</u>。
shì　de　wǒ　huì　yóu　yǒng

　　(1) 大　卫　会　开　车　吗?

　　　　dà　wèi　huì　kāi　chē　ma

　　　　是　的，_____。

　　　　shì　de

(2) 你 的 爸 爸 经 常 跑 步 吗?

nǐ de bà ba jīng cháng pǎo bù ma

是 的, _____ 。

shì de

(3) 弟 弟 经 常 锻 炼 身 体 吗?

dì di jīng cháng duàn liàn shēn tǐ ma

不, _____ 。

bù

5. Make sentences with the words in the box.

Example

玛 丽 会 开 车 吗?

mǎ lì huì kāi chē ma

玛丽	开车
杰克	打篮球
林老师	说法语
妹妹	穿衣服

_____

_____

_____

6. Translate the following sentences.

(1) 爸 爸 经 常 锻 炼 身 体 。

bà ba jīng cháng duàn liàn shēn tǐ

_____

(2) 你 喜 欢 什 么 运 动?
nǐ　 xǐ　huan shén me　yùn dòng

_____

(3) 我 弟 弟 不 喜 欢 游 泳。
wǒ　dì　 di　 bù　 xǐ　huan yóu yǒng

_____

(4) 要 是 有 时 间, 你 教 我 打 篮 球 吧!
yào shi yǒu shí jiān　nǐ　jiāo wǒ　dǎ　lán　qiú　ba

_____

7. Activities.

Interview your classmates about their favorite sports and take notes in Chinese.

8. Exercises for Chinese characters.

(1) Make a stroke cross another one to form a new character.

元 → （　无　）

午 → （　　　）　　　　刀 → （　　　　）

工 → （　　　）　　　　匕 → （　　　　）

(2) Write the characters by following the stroke order.

dòng	动	动	动	动	动	动	动							
bù	步	步	步	步	步	步	步	步						
yǒng	泳	泳	泳	泳	泳	泳	泳	泳	泳					
shí	时	时	时	时	时	时	时	时						
duàn	锻	锻	锻	锻	锻	锻	锻	锻	锻	锻	锻	锻	锻	锻

28 去游泳馆怎么走
qù yóu yǒng guǎn zěn me zǒu

1. Form words with the characters in the box and add *Pinyin*.

担	路	游	教
练	运	么	馆
跑	步	口	泳
怎	心	动	

(1) 担心 dānxīn   (2) _____

(3) _____   (4) _____

(5) _____   (6) _____

(7) _____

2. Match the Chinese in the box with English.

等	东
担心	怎么
游泳馆	拐
锻炼	右

how   怎么   east _____

right _____   wait (for) _____

worry _____   exercise _____

turn _____

swimming complex _____

3. Rearrange the following words to form sentences.

(1) 一个 第 向 拐 左 在 路口

yí gè   dì   xiàng guǎi zuǒ   zài   lù kǒu

_____

(2) 我 在 路口 三个 第

wǒ   zài   lù kǒu   sān gè   dì

_____

(3) 问 柏树街 走 请 怎么

wèn bǎi shù jiē zǒu   qǐng   zěn me

_____

(4) 早上　　明天　　学校　去　你　怎么
　　zǎo shang　míng tiān　xué xiào　qù　nǐ　zěn me

_____

4. Complete the following dialogues.

Example

A: 你 去 不 去 游 泳？
　　nǐ　qù　bu　qù　yóu yǒng
B: <u>我 不 会 游 泳，我 不 去。</u>
　　wǒ　bú　huì　yóu yǒng　wǒ　bú　qù

(1)　A: 你 _____ 打 篮 球？
　　　　nǐ　　　　dǎ　lán　qiú
　　　B: 我 不 喜 欢 打 篮 球，我 不 去。
　　　　wǒ　bù　xǐ　huan　dǎ　lán　qiú　wǒ　bú　qù

(2)　A: 去 林 老 师 家 怎 么 走？
　　　　qù　lín　lǎo　shī　jiā　zěn　me　zǒu
　　　B: 向 东 _____，在 第 一 个 路 口
　　　　xiàngdōng　　　　zài　dì　yī　gè　lù　kǒu
　　　　_____ 左 拐。
　　　　zuǒ　guǎi

(3)　A: _____ 柏 树 街 _____？
　　　　　　bǎi　shù　jiē
　　　B: 在 第 二 个 路 口 向 右 拐。
　　　　zài　dì　èr　gè　lù　kǒu　xiàng　yòu　guǎi

5. **Make sentences with the words in the box.**

Example

去 面 包 店 怎 么 走?
qù miàn bāo diàn zěn me zǒu

_____

_____

_____

面包店

比萨饼店

柏树街

校长家

6. **Translate the following sentences.**

(1) 别 担 心, 那 里 有 医 生。
bié dān xīn nà lǐ yǒu yī shēng

_____

(2) 别 担 心, 今 天 不 可 能 下 雨。
bié dān xīn jīn tiān bù kě néng xià yǔ

_____

(3) 在 第 一 个 路 口 向 左 拐。
zài dì yī gè lù kǒu xiàng zuǒ guǎi

_____

(4) 去 玛 丽 家 怎 么 走?
qù mǎ lì jiā zěn me zǒu

_____

7. Activities.

Pick one spot (resturant, supermarket etc.) in the China Town close to you in a map. Tell your friends in Chinese how to get there.

8. Exercises for Chinese characters.

(1) Write down the names of these places in Chinese according to *Pinyin*.

(2) Add "扌" to the following components and form new characters. Look them up in a dictionary for *pinyin*.

旦	丁	戈	另	包	巴	立	隹
担							
dān							

29 你 去 哪 儿 度 假
nǐ qù nǎr dù jià

1. Write Chinese words and *Pinyin* of the following words.

climb ___爬___ ___pá___   spend holidays _____ _____

seaside _____ _____   mountain _____ _____

cool _____ _____   the west _____ _____

summer vacation _____ _____

2. Complete the sentences with "可以".

Example

明 天 没 有 课， 我 们 可 以 去 游 泳。
míng tiān méi yǒu kè, wǒ men kě yǐ qù yóu yòng

(1) 今 天 外 面 不 下 雨， 学 生 们 _____。
jīn tiān wài miàn bú xià yǔ xué shēng men

(2) 老 师， 我 头 疼， _____吗?
lǎo shi, wǒ tóu téng   ma

(3) 要 是 那 里 天 气 好， 我 们 _____。
yào shi nà lǐ tiān qì hǎo wǒ men

(4) 如 果 你 觉 得 不 舒 服， _____。
rú guǒ nǐ jué de bù shū fu

3. **Make sentences with the words in the box.**

玛 丽 打 算 明 年 去
mǎ lì dà suàn míng nián qù

中 国 学 中 文 。
zhōng guó xué zhōng wén

_____

_____

_____

中 国 zhōngguó	学 中 文 xué zhōng wén
海 边 hǎi biān	度 假 dù jià
朋 友 家 péng you jiā	听 音 乐 tīng yīn yuè
山 区 shān qū	爬 山 pá shān

4. **Answer the following questions about yourself.**

圣 诞 节 你 经 常 去 哪 儿 度 假?
shèng dàn jié nǐ jīng cháng qù nǎr dù jià

圣 诞 节 我 经 常 去 海 边 度 假。
shèng dàn jié wǒ jīng cháng qù hǎi biān dù jià

(1) 春 节 你 经 常 去 哪 儿 度 假?
chūn jié nǐ jīng cháng qù nǎr dù jià

_____

(2) 周 末 你 经 常 去 哪 儿 度 假?
zhōu mò nǐ jīng cháng qù nǎr dù jià

_____

(3) 暑 假 你 经 常 去 哪 儿 度 假？
shǔ jià nǐ jīng cháng qù nǎr dù jià

_____

(4) 这 个 暑 假 你 打 算 去 哪 儿？
zhè ge shǔ jià nǐ dǎ suàn qù nǎr

_____

5. Complete the following dialogues with the words in the box.

一 起	怎 么 样	见	不	是	事	去
yì qǐ	zěn me yàng	jiàn	bù	shì	shì	qù

玛 丽：喂, _____ 小 美 吗？
mǎ lì wèi xiǎo měi ma

小 美：你 好, 玛 丽, 有 _____ 吗？
xiǎo měi nǐ hǎo mǎ lì yǒu ma

玛 丽：星 期 六 我 _____ 爬 山,
mǎ lì xīng qī liù wǒ pá shān

你 去 _____ 去？
nǐ qù qù

小 美：好, 我 们 _____ 去。
xiǎo měi hǎo wǒ men qù

你 打 算 几 点 去？
nǐ dǎ suàn jǐ diǎn qù

玛 丽：早 上 七 点, _____？
mǎ lì zǎo shang qī diǎn

小 美：行。星 期 六 _____。
xiǎo měi xíng xīng qī liù

玛 丽：星 期 六 见。
mǎ lì xīng qī liù jiàn

6. Translate the following sentences.

(1) 今 年 妈 妈 不 去 海 边 度 假。
    jīn nián mā ma bú qù hǎi biān dù jià

_____

(2) 王 家 明 非 常 喜 欢 爬 山。
    wáng jiā míng fēi cháng xǐ huan pá shān

_____

(3) 那 里 的 天 气 很 凉 快。
    nà lǐ de tiān qì hěn liáng kuai

_____

7. Activities.

Make plans for summer vacation and winter vacation and compare them.

8. Exercises for Chinese characters.

(1) Identify the components of each of the following Chinese characters.

zěn 怎 ╱ 乍
        ╲ 心

pá 爬 ╱ ___   ba 吧 ╱ ___   dōu 都 ╱ ___
     ╲ ___   ╲ ___   ╲ ___

bù 部 ╱ ___   shǔ 暑 ╱ ___   bà 爸 ╱ ___
     ╲ ___   ╲ ___   ╲ ___

(2) Form Chinese characters by using the following given components.

氵＋也→ （ chí 池 ）

冫＋京→ （　　　）　　　冫＋令→ （　　　）　　　氵＋永→ （　　　）

日＋者→ （　　　）　　　力＋辶→ （　　　）　　　云＋力→ （　　　）

(3) Write the characters by following the stroke order.

shān 山	山	山	山						
qū 区	区	区	区	区					
pá 爬	爬	爬	爬	爬	爬	爬	爬	爬	
dù 度	度	度	度	度	度	度	度	度	度
liáng 凉	凉	凉	凉	凉	凉	凉	凉	凉	凉

30 运动场上有很多人

yùn dòng chǎng shang yǒu hěn duō rén

1. **Do you know what the following words mean?**

(1) bàngqiú 棒球 ___baseball___   lālāduì 啦啦队 _____

   cānjiā 参加 _____   wǎngqiú 网球 _____

   pá shān 爬山 _____   dù jià 度假 _____

(2) match ___比赛___   send _____

   every time _____   some _____

   sports field _____   athlete _____

2. **Fill in suitable words according to the text.**

(1) 棒球   (2) 比赛   (3) 运动会
   打 bàng qiú   ___ ___ bǐ sài   ___ ___ yùn dòng huì

(4) 饮料   (5) 第一
   ___ yǐn liào   ___ dì yī

3. **Make sentences with the words in the box.**

Example

运动 场 上 有
yùn dòng chǎng shang yǒu
很 多 人。
hěn duō rén

_____

_____

_____

运动场上	人
xùn dòngchǎngshang	rén
教室里	学生
jiào shi li	xuéshēng
街上	车
jiē shang	chē
游泳馆里	人
yóu yǒng guǎn li	rén
桌子上	饺子
zhuō zi shang	jiǎo zi

4. **Rearrange the following words to form sentences.**

(1) 给　　　大家　　　饮料　　　她　　送
　　　gěi　　dàjiā　　yǐnliào　　tā　　sòng

_____

(2) 晚上　　　　　给　　玛丽　　今天　　打算　　　爸爸　　写信
　　　wǎnshang　　gěi　　mǎ lì　　jīn tiān　　dǎ suàn　　bà ba　　xiě xìn

_____

(3) 人　　没　　运动场　　　　　有　　上
　　　rén　　méi　　yùndòngchǎng　　yǒu　　shang

_____

(4) 比赛　　得　　他　　都　　每次　　第一
　　　bǐ sài　　dé　　tā　　dōu　　měi cì　　dì yī

_____

5. **Choose the correct responses.**

Example

你　哪　儿　疼?
nǐ　nǎr　　téng

我　的　牙　有　点　儿　疼。
wǒ　de　yá　yǒu　diǎnr　　téng

◆　我　的　腿　不　舒　服。
　　wǒ　de　tuǐ　bù　shū　fu

◆　我　的　牙　有　点　儿　疼。
　　wǒ　de　yá　yǒu　diǎnr　　téng

119

(1) 你 哪 儿 不 舒 服？
nǐ nǎr bù shū fu

◆ 我 的 身 体 不 舒 服。
wǒ de shēn tǐ bù shū fu

◆ 我 的 肚 子 不 舒 服。
wǒ de dù zi bù shū fu

(2) 哪 一 个 人 是 王 家 明？
nǎ yí gè rén shì wáng jiā míng

◆ 左 边 第 一 个 是 王 家 明。
zuǒ bian dì yī gè shì wáng jiā míng

◆ 左 边 一 个 人 是 王 家 明。
zuǒ bian yí gè rén shì wáng jiā míng

(3) 去 游 泳 馆 怎 么 走？
qù yóu yǒng guǎn zěn me zǒu

◆ 游 泳 馆 在 学 校 的 南 边。
yóu yǒng guǎn zài xué xiào de nán bian

◆ 向 西 走，在 路 口 向 左 拐。
xiàng xī zǒu zài lù kǒu xiàng zuǒ guǎi

(4) 你 喜 欢 什 么 运 动?
nǐ xǐ huan shén me yùn dòng

_____

◆ 我 喜 欢 打 棒 球。
wǒ xǐ huan dǎ bàng qiú

◆ 我 不 喜 欢 打 网 球。
wǒ bù xǐ huan dǎ wǎng qiú

(5) 暑 假 你 去 哪 儿 度 假?
shǔ jià nǐ qù nǎr dù jià

_____

◆ 暑 假 我 去 爬 山。
shǔ jià wǒ qù pá shān

◆ 暑 假 我 去 山 区 度 假。
shǔ jià wǒ qù shān qū dù jià

6. Read the passage and then answer the questions.

这 个 星 期 六 学 校 要 举 行 运 动 会, 王 小 雨 真 高 兴,
zhè gè xīng qī liù xué xiào yào jǔ xíng yùn dòng huì wáng xiǎo yǔ zhēn gāo xìng

因 为 她 打 算 参 加 啦 啦 队, 还 要 给 运 动 员 们 送 饮 料。
yīn wèi tā dǎ suàn cān jiā lā lā duì hái yào gěi yùn dòng yuán men sòng yǐn liào

她 的 朋 友 李 龙 是 棒 球 运 动 员, 每 次 比 赛 他 都 得 第
tā de péng you lǐ lóng shì bàng qiú yùn dòng yuán měi cì bǐ sài tā dōu dé dì

一。杰 克 会 很 多 运 动, 这 次 他 打 算 参 加 网 球 比 赛,
yī jié kè huì hěn duō yùn dòng zhè cì tā dǎ suàn cān jiā wǎng qiú bǐ sài

去 年 他 参 加 排 球 比 赛。王 小 雨 的 很 多 同 学 都 参 加
qù nián tā cān jiā pái qiú bǐ sài wáng xiǎo yǔ de hěn duō tóng xué dōu cān jiā

这 次 运 动 会， 有 的 跑 步， 有 的 打 球， 还 有 的 游 泳。
zhè cì yùn dòng huì   yǒu de pǎo bù   yǒu de dǎ qiú   hái yǒu de yóu yǒng

当 然， 也 有 的 同 学 不 参 加 比 赛， 但 (but) 他 们 都 要
dāng rán   yě yǒu de tóng xué bù cān jiā bǐ sài   dàn   tā men dōu yào

去 当 观 众 (audience)。
qù dāng guān zhòng

1. 学 校 什 么 时 候 举 行 运 动 会?
   xué xiào shén me shí hou jǔ xíng yùn dòng huì

   _____

2. 王 小 雨 为 什 么 很 高 兴?
   wáng xiǎo yǔ wèi shén me hěn gāo xìng

   _____

3. 谁 打 棒 球 最 好?
   shéi dǎ bàng qiú zuì hǎo

   _____

4. 杰 克 今 年 参 加 什 么 比 赛?
   jié kè jīn nián cān jiā shén me bǐ sài

   _____

5. 不 参 加 比 赛 的 同 学 去 做 什 么?
   bù cān jiā bǐ sài de tóng xué qù zuò shén me

   _____

7. Activities.

Search the Internet about the school life of students in China, such as sports, classes and exams. Find out the difference with yours.

8. Exercises for Chinese characters.

Add components to form new Chinese characters.

亻你	刂	讠	阝	氵	忄	宀	门
辶	艹	扌	口	女	纟	饣	灬
衤	木	车	日	礻	目	皿	钅
田	犭	疒	足	米	广	父	月
石	页	禾	冫	穴	斤	竹	匚

Appendices

1 你好

    2 lǎo shì hǎo jiā míng wáng tóng xué

2 我是王家明

    2 jiào shì jié mǎ nǐmen wǒmen

    3 tā tā shì jiào lǎoshī tóngxué

    4 nǐmen tāmen tóngxuémen

3 谢谢

    2 kè jiàn xiè zài

4 她们是学生吗

    2 zhǎng xué xiào shēng bù men

5 他们是我的朋友

    2 xué zhōng yǒu péng shì de

    4 wǒmende xuéxiào tāmende lǎoshī nǐde tóngxué

6 他是谁

    5 (1) 谁10 羽6 也3 练8

8 你有几张中文光盘

    2 méiyǒu Zhōngwén Hànyǔ Fǎyǔ lánqiú guāngpán zàijiàn shénme

    3 èr sān sì wǔ liù qī bā jiǔ shí

    6 (1) 光6 文4 篮16 球11 打5 张7

9 祝你生日快乐

    2 zhèlǐ nín hǎo kuàilè shēngrì duōshǎo guāngpán

    3 T F T F F T F T

10 今天我很高兴

    2 yīnyuè yìqǐ jīntiān dàngāo gāoxìng kuàilè

    3 T T F T T F F T

4 hěn　yīnyuè　gāoxìng　jīntiān　dàngāo　chī

5 kàn　tīng　chī　dǎ

7 听7 吃6 音9 糕16 起10 师6

11 你多大

2 mèimei　duō dà　méiyǒu　jǐ suì　xiǎoxuéshēng　shēngrì

7 (2) suì岁　duì对　xiào校　nǐ你　hǎo好　tā他

(3) 高 您 起 蛋 岁 妹 小

12 你从哪里来

3 gāoxìng　dǎqiú　Hànyǔ　Fǎyǔ　shēngrì　kuàilè　zàijiàn　kèqi

7 (1) 朋 林 多

13 我住在柏树街

7 (2) zhù住　yào要　qǐng请　dào到　bǐng饼　shù树

(3) 一 大 了 口 大 上

14 你家有几口人

1 māo　rén　zhù　gǒu　mèimei　gēge　māma　bàba

2 妈妈māma　大dà　猫māo　小xiǎo　狗gǒu　漂亮piàoliang

3 只 张 口 两

7 (1) 校 妈 们 张 和 的 狗

15 我爸爸是医生

1 yīshēng　kěshì　mèimei　xǐhuan　línjū　zhī　piàoliang　gēge

7 (2) 爸 爷 奶 妈 音 医

16 现在几点

1 yǒu shì　yīshēng　qǐchuáng　gēn　nǎli　gāoxìng

17 你每天几点起床

1 zǎoshang　wǎnshang　tāmen　shuìjiào　xiànzài　měi tiān

3 A B A A

7 (3) shuì睡　měi每　chuáng床　tiān天　jiào觉

18 昨天、今天、明天

2 明天míngtiān　睡觉shuìjiào　中国Zhōngguó　医生yīshēng

校长xiàozhǎng　光盘guāngpán　春节Chūn Jié

8 (2) zuó昨　chī吃　ne呢　gǎn感　ēn恩　chūn春

19 今天天气怎么样

1 wàimiàn　xià yǔ　yǔsǎn　guā fēng　zěnme yàng　kěnéng

8 (2) guā刮　kè刻　dào到　zěn怎　ēn恩　nín您

20 冬天冷，夏天热

1 fēicháng　qiūtiān　xiàtiān　xīnnián　zuìjìn　juéde

8 (2) qiū秋　hé和　rè热　xià夏

21 我要二十个饺子

1 鸡蛋jīdàn　饺子jiǎozi　秋天qiūtiān　饮料yǐnliào　刮风guā fēng
雨伞yǔsǎn　一共yígòng

7 (2) yǐn饮　jī鸡　tāng汤　piào漂　wǎn碗

22 你们家买不买年货

1 (2) 买mǎi　用yòng　礼物lǐwù　收到shōudào　因为yīnwèi

2 吃饺子jiǎozi　过圣诞节Shèngdàn Jié　喝饮料yǐnliào　打羽毛球yǔmáoqiú
听音乐yīnyuè　收到礼物lǐwù　学法语Fǎyǔ

3 昨天zuótiān　明天míngtiān　后天hòutiān
去年qùnián　今年jīnnián　明年míngnián

7 (2) duì对　huān欢　hěn很　xíng行

23 你喜欢什么颜色

1 (2) 明亮míngliàng　(3) 草地cǎodì　(4) 树木shùmù　(5) 大海dàhǎi
(6) 热闹rènao　(7) 面包miànbāo　(8) 所以suǒyǐ

2 绿色　打算　树木　红色　明亮　橙色　草地

3 (1) 种　(2) 种　(3) 个　(4) 个

8 (2) cǎo草　lán蓝　yǒu有　shù树　zhǒng种　chéng橙

24 穿这件还是穿那件

1 yīfu　chuān　háishi　búcuò　qúnzi　rúguǒ

2 黑色　如果　不错　穿　衣服　草地　橙色

7 (2) rú如　qún裙　chuān穿　pèi配　yán颜

25 他什么样子

1 (2) 样子yàngzi　(3) 白色báisè　(4) 墨镜mòjìng　(5) 号码hàomǎ

126

(6) 车牌chēpái　(7) 衣服yīfu　(8) 树木shùmù

2　(2) 黄色　号码　样子　大海　绿色

3　(1) 副　(2) 辆　(3) 盒　(4) 张　(5) 只

4　(1) 戴　(2) 穿　(3) 戴　(4) 戴

8　(2) hēi黑　pái牌　nán男　mò墨

26 你哪儿不舒服

1　téng　zuǒ　wèntí　shūfu　jiǎnchá　tuǐ

2　疼　左　上面　腿　药

3　(2) 耳朵ěrduo　(3) 嘴zuǐ　(4) 肚子dùzi　(5) 腿tuǐ　(6) 眼睛yǎnjing

　　(7) 鼻子bízi　(8) 脸liǎn　(9) 手shǒu　(10) 脚jiǎo

4　(1) 有点儿　(2) 有点儿　(3) 一点儿　(4) 一下　(5) 一点儿　(6) 一下

8　(2) téng疼　zǐ紫　hóng红　lǜ绿　jìng镜　chá查

27 你会游泳吗

2　(2) 跑步　游泳　运动　经常　身体

8　(1) 牛　力　土　七

28 去游泳馆怎么走

1　(2) 路口lùkǒu　(3) 游泳馆yóuyǒngguǎn　(4) 运动yùndòng

　　(5) 怎么zěnme　(6) 跑步pǎobù　(7) 教练jiàoliàn

2　东　右　等　担心　锻炼　拐　游泳馆

8　(2) 打dǎ　找zhǎo　拐guǎi　抱bào　把bǎ　拉lā　推tuī

29 你去哪儿度假

1　度假dùjià　海边hǎibiān　山shān　凉快liángkuai　西部xībù　暑假shǔjià

8　(2) liáng凉　lěng冷　yǒng泳　shǔ暑　biān边　dòng动

30 运动场上有很多人

1　(2) 送　每次　有的　运动场　运动员

2　参加　举行　喝　得

Cards of Chinese Character Components

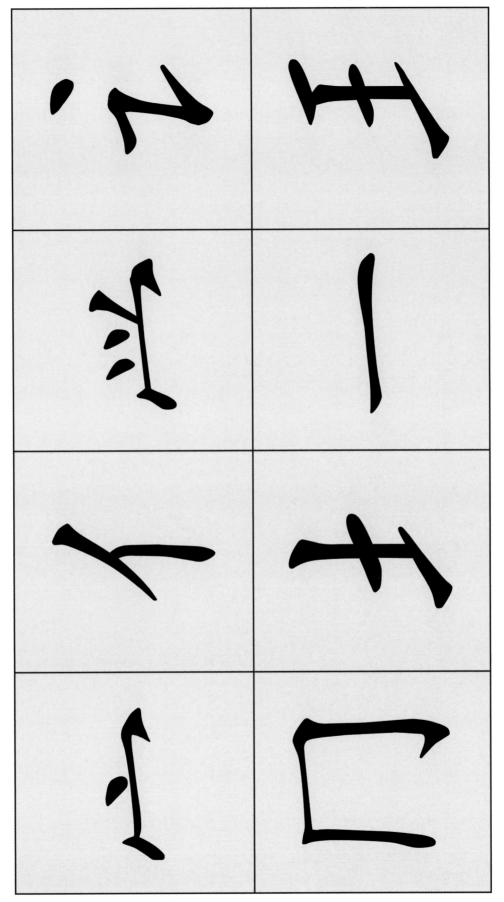

Instruction:
1. Cut each part from the paper.
2. Combine two parts into a character.

扌	隹	氵	𠂇
卩	又	辶	纟

文	钅	戋	忄
礻	彳	夕	犭

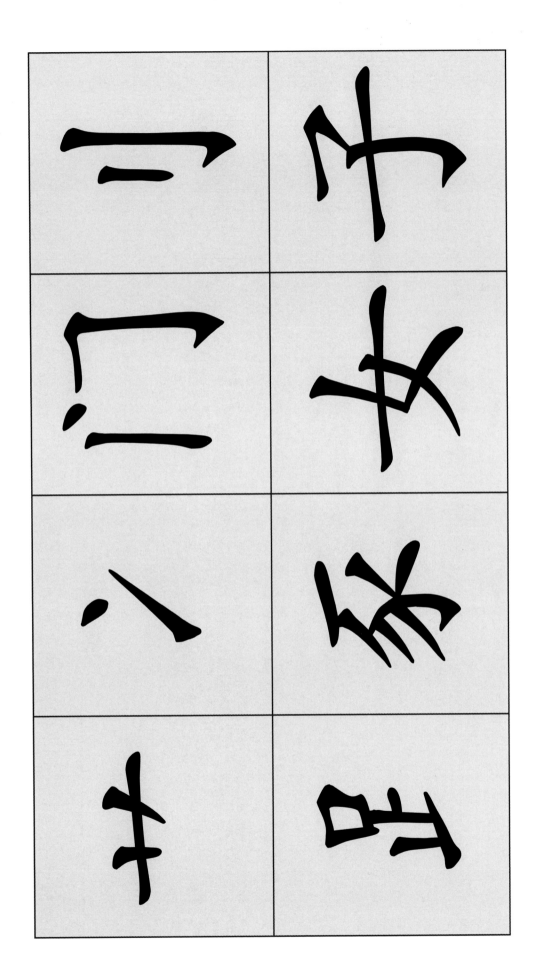

王	木
口	才
日	身
用	父

下 又

米 名

也 青

号 女

米	米
者	各
智	今
老	可

取　西

片　来

兆　人

文　山

丬	生
乃	乍
可	兇
王	田

米	另
合	乎
心	米
共	水

緊	永
曲	力
工	方
田	只

爪	巴	京	兄